Ⓢ新潮新書

橘玲
TACHIBANA Akira

バカと無知

人間、この不都合な生きもの

968

新潮社

まえがき　孤独な男がジョーカーに変貌するとき

安倍元首相を選挙演説中に銃撃し、死亡させた41歳の男は、母親が統一教会（現、世界平和統一家庭連合）にはまり、多額の献金で家庭が崩壊したことを恨んでいたとされる。教団が主催した集会に元首相が寄せたビデオメッセージを見たことで、「日本で（この宗教を）広めたと思っていた」「絶対に殺さなければいけないと確信した」などと供述しているという。

事件の解明は今後の捜査・裁判を待たなければならないとして、ひとつだけ確実なことがある。それは男に、自分が「被害者／善」であり、統一教会と、それを象徴する（と思っていた）元首相が「加害者／悪」だという絶対的な確信があったことだ。そうでなければ、迷いなく背後から銃弾を浴びせるようなことができるわけがない。

脳のデフォルトモード・ネットワーク（ＤＭＮ）は、２００１年に神経学者マーカス・レイクルによって偶然に発見された。脳の活動を計測するｆＭＲＩ検査では、装置のなかに横たわった被験者の「安静時」の神経活動を標準データとして記録するが、なにかに注意を向けているわけでもなく、特定の精神的タスクがない、つまり脳の「デフォルトモード」のときに活発化する部位があることにレイクルは気づいた。それは、「ぼーっとしている」ときの脳の活動だ。

デフォルトモード・ネットワークに対応するのが、外界から注意喚起されるたびに活性化するアテンショナル（注意）・ネットワークだ。この2つのネットワークはシーソーのような関係にあり、一方が活性化しているときは他方が沈黙する。

DMNの状態（ぼーっとしている）では、わたしたちはなかば無意識に、「デートに誘ったら応じてもらえるだろうか」「仕事が遅れていることを上司に報告すべきだろうか」などと、さまざまなシミュレーション（もしXならYになる／Yをする）をしている。近年の脳科学は、脳が予測と修正を繰り返す高機能のシミュレーション・マシンであることを明らかにしつつある。

このシミュレーションは、過去や未来へも延長される。「もしあのときあんなことをしなかったら、こんなことにはならなかったのに」という過去のシミュレーションは「後悔」と呼ばれ、それが「反省」や「学習」の土台になる。「もしこんなことが起きたらどうなるだろうか」という未来のシミュレーションは、「希望」あるいは「絶望」だ。

そしてここが重要なのだが、「過去」「現在」「未来」のシミュレーションをばらばらに行なっているだけでは、ほとんど役に立たない。反省や学習のためにも、希望をもつためにも、過去から未来へと一貫する「主体（わたし）」が必要なのだ。このようにして、より効率的なシミュレーションのために「自己＝意識」が進化した。

脳は「わたし（過去から未来へと一貫するシミュレーション）」を物語として構成する。これは「自伝的記憶」と呼ばれるが、そこではわたしたちはみな、物語の主人公（ヒーロー／ヒロイン）だ。

誰もが「わたし」という物語を生きている。だがここにはいくつかの制約があり、どんな物語でも好き勝手に創造できるわけではない。

一つは「物理的な制約」で、アニメや映画（あるいはＶＲ）ならともかく、現実世界では空を飛ぶことはできない。

二つめは「資源の制約」で、「お金がなくて欲しいものが買えない」というのがもっともわかりやすいが、近年では「（一日は24時間しかないという）時間の制約」が強く意識されるようになってきた。最近の若者はコスパ（コスト・パフォーマンス）ならぬタイパ

（タイム・パフォーマンス）を重視し、映画を2倍速で観るようだが、これは投入できる時間資源に対して処理すべきコンテンツが多すぎるからだろう。

だがもっとも大きな影響力をもつのは「社会的な制約」だ。あなたはつねに自分の人生の主役だが、そこには他の出演者や観客がいる。そしてこのひとたちもまた、自分の人生の物語のなかでは唯一無二の主役なのだ。

ヒトは徹底的に社会的な動物で、家族や会社、地域社会などの共同体に埋め込まれているから、わたしたちはこの社会的な制約のなかで、なんとかして「自分らしく」生きられる物語をつくっていくしかない。だがこうした制約がなくなってしまえば、物語は大きく歪んでいくだろう。

元首相への銃撃事件のあと、すべてのメディアが容疑者の過去を追ったが、高校を卒業して自衛隊に入隊した以外のことはほとんどわかっていない。海上自衛隊を退職したあとは、ファイナンシャルプランナーや宅地建物取引士などの資格を取り、複数の会社で派遣社員やアルバイトとして働いていたとされるが、その間のことを証言する友人などがまったくいないのだ。

男が最後に働いていたのは京都府内の倉庫だが、同僚と会話することもなく、昼食は車のなかで一人で弁当を食べていたという。母親が入信した統一教会は、強引な勧誘や霊感商法、多額の献金の強要が１９７０年代から社会問題になっており、脱会者や信者の家族を支援する団体も複数あるが、そうした活動に参加した形跡もない。男はたった一人で、家賃３万５０００円の１Ｋのアパートで「復讐」のための銃や爆発物をつくっていたのだ。

２００８年に秋葉原で無差別殺傷事件を起こした犯人も孤独な派遣社員だったが、それでも親身に相談に乗ってくれる故郷の友人や年上の女性がいた。元首相を銃撃した男には、いまのところ、誰かとかかわった記録がまったくない。その人生をひと言でいえば、「絶対的な孤独」ではないだろうか。

２０１９年の映画『ジョーカー』では、「自分はまるで存在していないかのようだ」と繰り返し訴える孤独な青年アーサーが、狂気と妄想にとらわれてジョーカーへと変貌していく様子が描かれる。

男は公開直後にこの映画を観て、〈ジョーカーという真摯な絶望を汚す奴は許さない。〉と自分のツイッターにコメントしている。それ以外の投稿を見ても、自らの境遇をジョーカー（アーサー）と重ね合わせていたことは明らかだ。

この映画についての非公開のユーザーとの会話では、〈ええ、親に騙され、学歴と全財産を失い、恋人に捨てられ、彷徨い続け幾星霜、それでも親を殺せば喜ぶ奴らがいるから殺せない、それがオレですよ。〉と自分のことを語っている。これが男の「真摯な絶望」だという見方は、さほど間違ってはいないだろう。

自衛隊を退職したあと、頑張って資格を取ったにもかかわらず、仕事もうまくいかず、恋人にも捨てられた。40歳を前にして、社会からも性愛からも排除されてしまった。この現実を突きつけられることは、高い知能と能力をもつ男には耐えられない挫折だったのではないか。

〝絶対的な孤独〟のなかで、なぜ「まるで存在しないかのよう」になったのかを考えていくうちに、人生をさかのぼって教団が悪魔化されていった。自分が純粋な被害者(善)だという物語をつくろうとしたとき、教団とかかわりがあった(とされる)この国でもっとも有名な政治家が、絶対的な「悪」として立ち上がってきたのではないだろうか。

そしていったんこの物語に支配されてしまうと、そこから抜け出すことは不可能だったのだろう。なぜなら、その物語こそが彼のすべてだったのだから。

本書は、このような「やっかい」な存在であるわたしたちの話だ。

バカと無知　目次

PART I　正義は最大の娯楽である

1　なんでみんなこんなに怒っているのか

世の中がぎすぎすしていて、明るい話題がない。とりわけこの雑誌（『週刊新潮』）にはもっと明るい話が必要だと思うのだが、いろいろ考えても、残念ながら思いつかなかった。

そこでまずは、「なんでみんなこんなに怒っているのか」ということから考えてみよう。

2種類の火災報知機があって、いずれかを選べるとしよう。A社の製品は感度が高く、火事を素早く察知するが、料理に油を使ったりするとすぐにけたたましく鳴りはじめる。B社の製品は逆で、感度が低めに設定されているので誤警報は少ないが、気づいたときには火の手が部屋じゅうに広がってしまう。

A社の火災報知機を選ぶと不愉快なことが多いものの（警報が鳴るたびに警備会社に連絡しなくてはならない）、出火をすぐに消し止めたり、それが無理でも子どもを連れて避難できるから、最悪の事態を避けられる。B社の火災報知機を選ぶと毎日快適に過ごせるし、そのまま何年、何十年と過ぎていくかもしれないが、万が一火事になったら家族全員が焼け死んでしまう。

「こちらを立てればあちらが立たない」ことをトレードオフという。これは人生でもよくあるが（結婚すると別の相手とはつき合えないとか）、わたしたちの祖先もこの難問をしばしば突きつけられてきた。

あらゆる生き物は、生存と生殖を最適化するよう長大な進化の過程で「設計」されてきた。生き延びられなければ生殖できないし、生殖しなければ子孫を残すことができない。わたしたちが「いまここ」に存在するのは、このきびしい競争（自然淘汰）に勝ち残った末裔だからだ。――現代の進化論では、「利己的な遺伝子」のプログラムが生得的に埋め込まれているのだと説明する。

安全と快適さのトレードオフでは、冷徹な進化がどちらを選んだかは考えるまでもない。非常ベルが頻繁に鳴れば幸福度や満足度が下がるかもしれないが、大事なときに警報が鳴らずに子孫（遺伝子）を残せないよりずっとマシだ。残念ながら、進化の目的はあなたの幸福ではないのだ。

わたしたちの脳には、きわめて感度の高い火災報知機が備えつけられている。高度なセンサーが周囲につねに気を配り、ちょっとでも不穏なことがあると、とてつもない災厄であるかのように警報を鳴らす。人類が進化の大半を過ごしたアフリカのサバンナでは、近くの茂みが揺れたなら、風のせいだと無視してのんびりするより、ライオンが潜んでいると飛びのいて逃げ出したほうがずっと生存率が高かっただろう。

このようにしてわたしたちは、よいニュースよりも悪いニュースに強く反応するようになった。殺人事件の件数は1950年代から一貫して減少傾向にあり、日本社会はどんどん安全になっているが、それによって逆に、たまに起きる異様な事件に注目が集まって大騒ぎになる。こうして、事実（ファクト）とは逆に「体感治安」が悪化していく。

脳の警報器の過敏な初期設定は旧石器時代には役に立っただろうが、現代のような「ものすごく平和で安全な社会」だとうまくいかなくなる。もはや暗がりに肉食動物が潜んでいることはないし、刃物をもった人間が襲いかかってくることも（めったに）ないが、警報器はささいなことでけたたましく鳴ってしまうのだ。

同様に、脳はよい出来事よりも悪い出来事を強く経験し、記憶するよう「設計」されている。

人類は進化の歴史の大半で、最大で150人ほどの共同体で生活していた。環境はきびしく一人では生きていくことができないから、集団から排除されることはすなわち死を意味した。これが強い進化の淘汰圧になって、相手が何を考えているかを素早く察知したり（メンタライジング）、相手の気持ちを感じたりする（共感力）向社会的な能力を発達させていった。

共同体から追放されると死んでしまうのだから、そのようなリスクを知らせる警報器はものすごく強力でなければならない。仲間から拒絶されたり、年長者から威嚇されたりした体験を記憶できず、同じ失敗を何度も繰り返すKYな（空気の読めない）個体は、進化のプールからすみやかに取り除かれてしまっただろう。

ネガティブな記憶が脳に強く刻まれることは近年では「トラウマ」と呼ばれ、さまざまな心理的・精神的不調の原因とされる。だが進化の歴史を考えるなら、トラウマは脳の標準的な仕様で、過去のネガティブな記憶に煩わされない精神的に健康な個体の方が「不健全」なのだ。

現代のような「とてつもなくゆたかな社会」では、一人で生きていくのにさほどの困難はないから、集団からの排除が生存の危機に直結することはない。ここでも問題は、それにもかかわらず、ちょっとした人間関係のトラブルでとんでもない音量で警報器が鳴り響くことだ。

客観的に考えれば、学校でたまたまいっしょのクラスになっただけの関係にさしたる意味はない。同世代の男女は日本じゅうにたくさんいるし、世界に視野を広げればさらに膨大な数になる。30~40人ほどの「級友」が、個人の人生にとって決定的な価値があるというのはバカげている。

だが脳（無意識）はこのように論理的には考えないので、学校でいじめの標的にされると「このままでは死んでしまう!」とパニックに陥り、会社でのハラスメントがうつ病や自殺につながる悲劇が跡を絶たない。

いじめやパワハラはヒトの本性（社会性）なので、日本だけでなく海外でも深刻な問題になっている。

アメリカの調査では、従業員のおよそ3人に1人がハラスメントの被害を受けた経験があるという。だが困惑するのは、同じ調査で、パワハラの加害者になったことがあるとこたえたのはわずか0・05%（2000人に1人）だったことだ。

脳の基本的な仕様は、「被害」を極端に過大評価し、「加害」を極端に過小評価するようになっている。被害の記憶はものすごく重要だが、加害の記憶にはなんの価値もない。これが人間関係から国と国との「歴史問題」まで、事態を紛糾させる原因になっている。

わたしたちは当然のように、被害と加害をセットで考えるが、被害者と加害者では同じ出来事(現実)をまったく異なるものと認識している。この大きな落差を理解しないと、自分が「(絶対的な)正義」で相手は「(絶対的な)悪」というレッテルを押しつけ合って、収拾のつかないことになる(例をあげるまでもなく、あちこちでよく見かけるだろう)。

ちなみに、新型コロナの感染拡大にもかかわらず、日本では2020年の死亡者数が前年より減少した。肺炎やインフルエンザが減ったのはマスク・手洗いで説明できるとして、理由はよくわからないものの、心筋梗塞や脳梗塞も減少している(21年は新型コロナの影響で、男性で0・09歳、女性で0・14歳平均寿命が短くなったが、肺炎やがんの死亡率は下がっている)。

どうやら新型コロナの「新常態」は、日本人の健康増進に貢献しているらしい。そのように考えれば、昨今のぎすぎすした雰囲気もなごみ、すこしは明るい気持ちになれるのではないだろうか。

2　自分より優れた者は「損失」、劣った者は「報酬」

週刊誌には毎週、政治家や芸能人、著名人のさまざまなスキャンダルが載っている。明らかに法を犯しているものから好ましからぬ行状まで多種多様だが、共通するのは読者の怒りや批判を掻き立てることだ。

しかし考えてみると、これは合理的とはいえない。自分とはなんの関係もない赤の他人の夫や妻が不倫していても、そんなことどうでもいいではないか。

だが、そういうわけにはいかない。ヒトは長大な進化の過程のなかで、徹底的に社会的な動物として「設計」されてきたからだ。

人類にもっとも近い種は、チンパンジーやボノボ、ゴリラなどの類人猿だとされる。これは間違いではないものの、彼らは数百、数千あるいは数億の単位の集団をつくったりはしない。とてつもなく巨大な社会を形成することに注目すれば、人間は哺乳類よりアリのような社会性昆虫によく似ている。

進化の大半を占める旧石器時代には、人類は30～50人程度の小集団（バンド）で狩猟・採集生活を送り、150人を上限とする（誰もが顔見知りの）共同体（クラン）のなかで暮らしていた。こうした共同体がいくつか集まったのが最大で1500人ほどの部族（トライブ）で、この同族集団のなかで婚姻を行なっていたようだ。

ヒトはアリと同じく、集団では大きなちからを発揮するが、一人ではきわめて脆弱だ。共同体から排除されることは、ただちに死を意味した。

だったら、いつも集団の最後尾にしがみついていればいいかというと、これもうまくいかない。ライバルと優劣を競い、すこしでも序列を上げないと性愛を獲得できないのだ。

このようにしてわたしたちの祖先は、深刻なトレードオフに直面することになった。

①目立ち過ぎて反感を買うと共同体から放逐されて死んでしまう。
②目立たないと性愛のパートナーを獲得できず、子孫を残せない。

わたしたちはみな、なんらかのかたちでこの難問をクリアした者の子孫なのだ。

いったいどうやったのか。それは、「目立たずに目立つ（自分を有利にする）」作戦だ。噂話は、集団のなかで生き延びる強力なツールだ。面と向かって批判すれば紛争になり、最悪の場合、報復されて殺されてしまう。だが噂（「たまたま聞いたんだけど……」）によって悪い風評を広めるのなら、報復を避けつつ、ライバルにダメージを与えることができる。

これはとてもよいアイデアだが、問題がひとつある。集団の誰もが同じことを考えているのだ。

こうして、「自分についての噂を気にしつつ、他人についての噂を流す」というきわめて高度なコミュニケーション能力（コミュ力）が必要とされるようになった。「社会脳」仮説では、ヒトの知能が極端に発達したのは、集団内の権謀術数に適応するためだとする。

噂話によって生死が決まる社会では、ひとびとは集団内の権力闘争（陰謀）に敏感になったにちがいない。ささいな批判に過剰に反応するのはこの名残だろうし、科学が発達した現代社会で、荒唐無稽な陰謀論にハマるひとがなぜこんなに多いのかもこれで説明できるだろう。

集団生活では、「抜け駆け」と「フリーライダー（ただ乗り）」が問題になる。

新型コロナの感染抑制策で飲食店が酒類を提供できなくなると、それでも飲みたいひとたちが「深夜まで元気に営業中。お酒飲めます」という看板を掲げた店に集まってくる。「正直者がバカを見る」とみんなが思えば、ルールなんか守ってもしょうがないというモラルハザードが生じる。

感染を抑制するには人口の7割がワクチンを接種する必要があるとされるが、ワクチンは副反応が起きることがあり、ほとんどは発熱などで数日で快癒するが、(きわめて)まれに重篤な症状を呈する。

そうなると、「みんながワクチンを打つのなら、自分がリスクを冒すのは馬鹿馬鹿しい」と〝合理的〟に考えるひとが出てくるかもしれない。これがフリーライダーで、一定数を超えると感染が拡がり、飲食店などが打撃を受ける。

大きな社会を維持するためには、なんらかの方法で「抜け駆け」と「フリーライダー」に対処しなければならない。これが、わたしたちの祖先が直面したもうひとつの難問だ。

近年の脳科学では、「(自分より下位の者と比べる)下方比較」では報酬を感じる脳の部位が、「(上位の者と比べる)上方比較」では損失を感じる脳の部位が活性化することがわかった。脳にとっては、「劣った者」は報酬で、「優れた者」は損失なのだ。

さらに、これもさまざまな脳科学の研究で、ルール違反をした者を処罰するときに脳の報酬系が活性化することが確認されている。こうした実験では、相手と対峙するのではなく、匿名のまま相手が受け取れるはずの金銭を減らし、罰を下せるようにしている。

すべての生き物は、快感を求め苦痛を避けるように「プログラム」されている。すると、このきわめてシンプルな脳の仕組みだけで、「抜け駆け」と「フリーライダー」問題を解決できる。「正義」を脳にとっての快感にしておけば、ひとびとは嬉々として集団の和を乱す者を罰するようになるだろう。

ネットニュースでいちばんアクセスを集めるのは「芸能人と正義の話題」だという。メディアが「こんなことが許されるでしょうか」といつも騒いでいるのも、SNSで不道徳な者がさらし者にされるのも、現代社会にとって正義が最大の「娯楽（エンタテインメント）」だからだ。

噂話の目的は、自分より上位の者を引きずり下ろすと同時に、下位の者を蔑んで自分をより目立たせることだ。「私はそんな卑しいことはしない」という良識あるひともいるだろうが、それはたんなる演技かもしれない。

脳にとって上方比較は損失なのだから、その不快感から逃れるには、自分より優れた者を蹴落とせばいい。これはけっして褒められた話ではないが、そこに「正義」を紛れ込ませると自分の行為を正当化できる。罵詈雑言を浴びるのはルールを破った自業自得で、自分は社会のために「正義の鉄槌」を下しているのだ。これがネット「炎上」の構図だというのは、最近のいくつかの事例を見ても明らかだろう。

ネットで人気があるもうひとつのコンテンツは、「最貧困」や「ホームレス」などの転落話だ。これは下方比較が脳にとっての報酬だからで、不運が重なって社会の最下層に落ちていくような話は、自分が恵まれていることを確認させてくれるから、やはり現代社会において最大の「娯楽」のひとつになる。

徹底的に社会的な動物であるヒトは、自分が批判されることを過度に警戒すると同時に、集団からの逸脱行為をつねに監視し、自分より上位の者がそれを行なうと、「正義」の名の下に寄ってたかって叩きのめす。それと同時に、劣った者に対しては、自分の優位を誇示する（マウントする）ように進化したのだろう。

気に入らないかもしれないが、私もあなたも、こうやって生き延びて子孫を残した先祖の末裔なのだ。

3　なぜ世界は公正でなければならないのか

ハリウッド映画でも時代劇でも、世界じゅうに「勧善懲悪」の物語が氾濫している。話はだいたい同じで、世界を「悪」が支配していて、それを「善」が正そうとするが苦戦し、「もう駄目だ！」という間一髪のところでなにかが起きて（とてつもないパワーを手に入れるとか、それまでのライバルが仲間になるとか）形勢が逆転し、善が悪を倒して世界に「公正」さが回復する。

こうした物語は、楔形文字で書かれたシュメール神話にも見られるから、5000年以上前から書き継がれてきた。口承文学の時代を入れれば、おそらくは数万年前から語り継がれてきたのだろう。

地域や時代を超えてここまで普遍的な現象は、「ヒトの本性」を想定する必要がある。「勧善懲悪」の背後にどのような仕組みがあるのだろうか。

「とてつもなく不公正な世界」を想像してみよう。そこでは、ホッブズが『リヴァイアサン』で描いたように「万人の万人に対する闘争」が日常的に行なわれている。

買い物をしようとすると、売り手はとんでもない高値をふっかけたり、偽物を押しつけようとするし、なにかを売ろうとすると偽札を出される。夫や妻はつねに不倫していて、（父親は）誰の子どもを育てているかわからない。子どもを近所の知り合いに預けると、誘拐されて身代金を要求される……。

この思考実験で、なぜ社会が公正でなければならないかわかるだろう。不公正な世界では、誰一人生きてはいけないのだ。

進化の淘汰圧は生存と生殖を最適化するように生き物を「設計」したのだから、徹底的に社会的な動物であるヒトの場合、社会を「公正」に保つためのなんらかのプログラムが脳に埋め込まれたはずだ。

社会心理学では、ひとは無意識のうちに、「世界は公正でなければならない」と考えているとする。これが「公正世界理論（just world theory）」だ。この信念によって、わたしたちは不正に対して怒りを感じ、それを正そうとするように進化した。

これで話が終われば一件落着だが、そう簡単にはいかない。誰もが身に染みて知っているように、世の中には不公正なことがたくさんあり、個人のちからはあまりに弱い。

「勧善懲悪」の物語に人気があるのは、現実の世界では悪がのさばって、善は肩身の狭い思いをしているからだ。

これは「認知的不協和」と呼ばれる心理状態で、矛盾したふたつの考えを同時に抱くと、ものすごく不快に感じられる。

「私は煙草を吸う」という認知と、「喫煙は肺がんのリスクを高める」という認知は両立しないから、喫煙者は煙草をやめるか、そうでなければなんらかの方法で、この認知的不協和を解消しなくてはならない。そこで、「愛煙家でも長生きしているひとはいる」とか、「健康に気をつけていても交通事故で死ぬかもしれない」と認知を変えて、自分の喫煙行動を正当化する。

これは喫煙者だけのことではない。わたしたちはつねに、「自分は正しい」という前提で生きている（「自分は間違っている」という前提に立つようになると、重度のうつ病と診断される）。認知的不協和が起こるたびに、無意識のはたらきで歪みは瞬時に修正され、解消されるのだ。

だとしたら、公正世界信念の認知的不協和はどのように正当化されるのか？　もっとも頻繁に起こるのは、「不正だ」と認定した者をよってたかって袋叩きにすることだ。

ＳＮＳの登場でこうした「正義の鉄槌」が簡単に振り下ろせるようになり、欧米では「キャンセルカルチャー」として大きな社会問題になっている。

脳は上方比較を損失、下方比較を報酬ととらえるから、高い地位にある者を「キャンセル」し、引きずり下ろすことには大きな快感がある。

東京五輪の開会式をめぐる騒動で目にしたように、過去の経歴に「傷」を見つけたら、血の匂いをかぎつけたピラニアのように集まってきて、批判・誹謗・罵倒のかぎりをつくして社会的に葬り去ろうとする。それも、自分はなんのコストも払わず、テレビの前に寝転がってスマホをいじるだけでできるから、このインスタントな「快楽製造機」にはものすごく人気があるのだ。

それ以外では、「相補的認知」という戦略もよく使われる。

経済格差が拡大し、資産数十兆円の大富豪と、子どもの食費すらままならない貧しいシングルマザーがいるのは不公正にちがいないが、個人のちからでそれを是正することはできない。そこで、「強欲な金持ちは（スクルージのように）こころを許せる相手が誰もいなくて不幸だ」「貧しいかもしれないが、家族の絆があるから（あるいはブータンのように、精神的にゆたかだから）幸福だ」と解釈を変える。

「よいことと悪いことはつねにセットだ」と決めてしまえば、一見、不公正な世界も公正なものになる。芸能人など恵まれている（ように見える）ひとが、実は家庭崩壊で不幸だったとか、田舎の清貧な暮らしはこんなに素晴らしいとかの話に人気があるのはこれが理由だろう。

「犠牲者非難（victim derogation）」と名づけられたやっかいな現象もある。

池袋の交通事故のように加害者と被害者がはっきりしている場合は、加害者を（過剰に）批判することで公正世界信念を維持できる。ところが、加害者を特定できなかったり、じゅうぶんに罰せられないとこの方法が使えないので、世界は不公正なまま目の前に放置されている。

これはものすごく不快なので、「じつは被害者に非があったのだ」と認知を変え、因果応報の物語に書き換えようとする。

レイプ事件で加害者が無罪になったり、被害が補償されないことはよくあるが、これが認知的不協和を引き起こし、「肌を露出するような格好をしていたからだ」「派手に夜遊びするからだ」などと、被害者の「責任」が声高に非難される。

より理不尽なのは、山梨のキャンプ場から小1の女児が行方不明になった事件で、懸命の捜索でも発見できないと、情報提供を求める母親に対して「犯人にちがいない」などと非難が集中し、脅迫される事態になった（その後、DNA型鑑定などで女児のものと特定された遺骨が発見された）。

このように公正世界信念はさまざまな社会問題を引き起こすが、だからといってそんな信念は不要だというわけにはいかない。みんなが「公正な世の中であってほしい」と願っているからこそ、わたしたちの社会はなんとか維持できているのだ。

だったらどうすればいいのか。幸いなことに、「最終的公正信念」戦略は、ポジティブな効果の方が大きいとされている。「長い人生にはよいことも悪いこともある」という「人間万事塞翁が馬」のことだ。

ぎすぎすした世の中に煩わされず、他者に「不道徳」のレッテルを貼って安易に批判せず、イヤなことがあっても「そのうちいいこともあるさ」と楽天的に考える。すくなくとも研究では、これであなたの幸福度はずいぶん高くなるらしい。

4　キャンセルカルチャーという快感

東京五輪の開会式直前に、楽曲を担当するミュージシャンが過去のいじめ行為を理由に辞任、演出担当の劇作家が過去にホロコーストをギャグにしていたとして解任、さらには出演を予定していた俳優が、過去に障がい者を揶揄するコントを演じていたとして辞退する騒ぎになった。

それぞれ事情は異なるものの、過去の不適切な行為がネットで炎上し、公的な地位からのキャンセル（辞任）を求められることは、「キャンセルカルチャー」として欧米でしばしば問題になっている。

アメリカでは近年、ＳＮＳでの発言が「人種差別的」と見なされた高名な大学教授が学会からの除名を求められ、男女の性差についての（まともな）研究を引用してシリコンバレーに女性が少ないことを論じた従業員が、「性差別」として大手ＩＴ企業から解雇される事態が起きた。

米誌『ティーン・ヴォーグ』の編集長に就任予定だった20代の黒人女性が、10年前の学生時代にアジア系に対して差別的なツイートをしていたとして批判されたケースでは、2019年に謝罪したにもかかわらず、21年に炎上してキャンセルされている。ヴォーグもこの事実を把握しており、「差別的ツイートに関しては、2年前にすでに謝罪し責任をとっている」と擁護したものの、ボイコット運動を恐れた広告主の出稿停止に耐えきれなかったようだ。

こうしたキャンセルカルチャーの背景には、世界的な「リベラル化」の大きな潮流がある。

ここでいう「リベラル」とは「この世に生を受けた以上、自分の人生は自分で決めたい」「自分らしく生きたい」という価値観のことで、1960年代末のアメリカ西海岸で生まれ（ヒッピームーヴメント）、エピデミックのようにまたたく間に地球上を覆い尽くした。これはキリスト教やイスラームの成立に匹敵する人類史的な事件だが、わたしたちはいまだにそれを正しく認識できていない。

「わたしが自由に生きる」なら、当然のことながら、「あなたも自由に生きられる」権利を保障しなければならない。この自由の相互性・普遍性がリベラリズムの基礎で、現代では、人種や民族、性別、国籍、身分、性的指向など自分では変えられない属性による差別はどんな理由があっても許されなくなった。これが「ポリティカル・コレクトネス（政治的な正しさ）」で、PCとかポリコレと呼ばれる。

これまでマイノリティはきびしい差別に苦しんできたのだから、リベラルな社会を目指す運動が、総体としてはひとびとの厚生（幸福度）を大きく引き上げたことは間違いない。リベラル化は、疑いもなく「よいこと」だ。

ところがその一方で、「絶対的な正義」の基準を決めたことで、有名人の過去を徹底的に調べあげ、正義に反した言動をした者を吊るし上げる運動が起きるようになった。ネットに保存されたデータが永久に検索されつづける「デジタルタトゥー」や、SNSによって怒りや共感を瞬時に共有するテクノロジーがこの大衆運動を過激化させた。

英語圏ではこうした活動家（アクティビスト）は、「ソーシャル・ジャスティス・ウォリアー（社会正義の戦士）」と呼ばれ、SJWと略される。キャンセルカルチャー、ポリコレ、SJWは世界を覆うリベラル化の大潮流を背景とした共通の現象で、日本にもいよいよその波が押し寄せてきたようだ。

「差別は許されない」のは当然として、過激化するキャンセルカルチャーには次のような疑問がある。

一つは、「過去の愚行は永遠に許されないのか？」。東京五輪開会式の演出で問題になったのはいずれも20年以上前の出来事で、いじめにいたっては小学校時代の行為まで批判されている。子ども時代の過ちがいつまでも批判されるような社会では、誰も暮らしたい（子育てしたい）と思わないのではないか。

これについては、「今回はあまりに悪質だからみんな怒っている」との反論があるが、その場合は、「許される愚行と許されない愚行は、誰がどのような基準で決めるのか？」という問いに答える必要がある。

「被害者に謝罪していないからだ」という意見もあるが、謝罪していても「誠意がない」「被害者が納得していない」「そんなものは謝罪とはいわない」とされて炎上するケースはいくらでもある。あまり指摘されないが、「過去の行為は（どれほど謝罪しても）未来永劫許されない」というのは、隣国が主張している「被害者中心主義」とまったく同じだ。

二つめは、キャンセルの対象がきわめて恣意的なこと。批判を浴びるのはキャンセル可能な地位についた者だけで、まったく同じ言動をしていても、そのような立場を避けていれば過去は不問に付される。ネット炎上が人格や人生を全否定する「私刑（リンチ）」に発展することがある一方で、事前に危険を察知し辞退すれば無傷というのは、どう考えても理不尽だ。東京五輪開会式をめぐる一連の騒動が象徴するように、その結末は「そして誰もいなくなった」だろう。

三つめは、有名人を袋叩きにしたからといって、問題が解決するわけでも、社会がよくなるわけでもないことだ。今回の件でなにかが変わるとしたら、著名人が「余計なことは話さない」「公的な仕事は断る」という教訓を学習したことだけだろう。

だったらなぜ、キャンセルカルチャーが燎原の火のように拡がるのか。それは「気持ちいい」からだ。

徹底的に社会的な動物である人間は、不正を行なったと（主観的に）感じる相手に制裁を加えると脳の報酬系が刺激され、快感を得るように進化の過程で「設計」されている。それに加えて、下方比較を報酬、上方比較を損失と感じるから、自分より上の地位にあるものを引きずり下ろすことにはとてつもなく大きな快感がある。

この快感は、テクノロジーのちからによって、匿名のまま（なんのリスクも負わず）、スマホをいじるだけで（なんのコストもかけずに）手に入るようになった。これほど魅力的で安価な「娯楽」はほかにないからこそ、多くのひとが夢中になるのだ（オバマ元大統領は、こうした理由でキャンセルカルチャーを批判している）。

ひとがステイタスを誇示する方法には、「支配（権力）」「成功（社会・経済的地位）」「美徳（道徳）」の三つがある。このうち権力の獲得は誰でもできることではないし、成功のステイタスには資産（豪邸やスーパーカー）や評判（SNSのフォロワー数）などの証拠（エビデンス）が必要だ。それに対して道徳的なステイタスの獲得は、「悪」を叩けばいいだけなのだから、誰でも（匿名でも）可能なのだ。

そう考えれば、これからも繰り返しキャンセル騒動は起きるだろうし、欧米では現にそうなっている。それに対して個人や企業にできることは、大衆の「正義の鉄槌」が自分のところに振り下ろされないようにマネジメントすることだけだ。

リベラル化によって誰もが「自分らしく」生きられるようになれば、一人ひとりの利害があちこちで衝突し、人間関係は複雑になっていく。政治は利害調整ができずに渋滞し、行政システムは市民から批判されないよう巨大化・迷宮化し、ひとびとの「生きづらさ」だけが増していく。

リベラル化を人類にとっての光だとすれば、光が強ければ強いほど影も濃くなるのだ。

PART Ⅱ　バカと無知

5　バカは自分がバカであることに気づいていない

1995年、アメリカのピッツバーグで男が白昼堂々、変装もせずに二つの銀行に押し入った。その日の夜のニュースで監視カメラの映像が公開されると、1時間もしないうちに男は逮捕された。

警察でビデオテープを見せられた男は、「だって俺はジュースをつけていたのに」とつぶやいた。男は、顔にレモン汁を塗ると監視カメラに映らなくなると思っていたのだ。

このバカバカしい話は、その後、「バカとはなにか?」という認知心理学のブレークスルーへとつながっていく。

心理学者のデビッド・ダニングはこのニュースを知って、「人間はなぜこれほど愚かになれるのか」と疑問に思った。無知とは一般に、「正しい知識をもっていないこと」と定義される。だがこれだけでは、その空白に「レモンジュースを顔に塗ると透明人間になる」というとんでもない勘違いが入り込んでくる理由を説明できない。

そこでダニングは、博士課程のジャスティン・クルーガーとともに、コーネル大学の学生を使って一連の実験を行なった。彼らの発見はのちに「ダニング＝クルーガー効果」として広く知られるようになる。[1]

ダニングらの関心は、「能力の低い者は、自分の能力が低いことを正しく認識できているのか」というものだった。

それを確かめるために二人は、ユーモアのセンス、論理的推論・文法問題の得点と、学生たちの自己評価を比較した。ユーモアのセンスは、ジョークの面白さがプロのコメディアンの評価とどの程度一致するかで計測されたが、よりシンプルな論理や英文法のテストと結果は同じで、いずれも男女の性差はなかった。

論理的推論では、平均を50、最低を0、最高を100として得点が正規分布（ベルカーブ）するとした場合、学生たちの自己評価の平均は66点だった。実際の平均はもちろん50点なのだから、学生たちは自分の実力を3割以上も過大評価していることになる。

これは「人並み以上効果」として、以前からよく知られていた。恋愛や仕事での成功の見込みであれ、わが子の才能であれ、あるいは車の運転技術でも、「平均と比べてどうですか？」と質問すると、大多数のひとが「自分は人並み以上だ」とこたえるのだ。

ダニングとクルーガーは、この「楽観主義バイアス」が個人の能力によってどのように変わるかを調べた。その結果はきわめて興味深いものだった。

論理的推論能力では、下位4分の1の学生は、実際の平均スコアが12点だったにもかかわらず、自分たちの能力は68点だと思っていた。一方、上位4分の1の学生は、実際の平均スコアが86点にもかかわらず、自分たちの能力は74点しかないと思っていたのだ。能力の低い学生が自分を470％（5倍以上）過大評価しているのに対し、能力の高い学生は14％過小評価していた。その結果、テストの成績では12点と86点という大きな差があるにもかかわらず、下位と上位の学生たちの自己評価は68点と74点でほとんど同じになってしまったのだ。

この「勘違い」は他の実験でも同じで、文法問題では、下位4分の1の学生の平均得点は10点で、自己評価での能力は67点だった。一方、上位4分の1の学生の平均得点は89点で、自己評価での能力は72点だった。

ユーモアのセンスでも、下位4分の1の学生の平均得点は12点、自己評価のセンスは58点だった。この課題だけは、下位の学生たちも自分がすぐれているわけではないことを認識していたようだが、それでもユーモアのセンスは「ふつうよりはちょっとマシ」

だと過大評価していた。

ダニングとクルーガーは、上位4分の1の学生は自分の能力を客観的に把握していて、だからこそ「自分でもこれくらい解けるんだから、ほかの学生はもっとできるだろう」と思い、（他者を過大評価することで）自己評価が低くなるのではないかと考えた。

この仮説を確かめるために、他の学生の解答を（得点を伏せて）高得点者にいくつか見せてみた。すると文法問題（平均得点89）では、72点だった自己評価が77点へと上がった。能力の高い学生は、他の学生が思ったほど正答できていないことを知って、正しい方向に自己評価を修正したのだ。

ところが同じことを下位4分の1の学生（平均得点10）にすると、67点の自己評価が63点へと若干下がったものの、それでも実際のスコアとの大きな差は埋まらなかった。より不可解なのは（自分がテストで何点取れたかの）得点予想で、もともと60・5点と大幅に過大評価されていたのが、他の学生の解答を見たことで、65・4点へと「勘違い度（過大評価）」がさらに広がってしまったことだ。

この結果についてダニングとクルーガーは、「能力の低い者は、そもそも自分が能力が低いことを正しく認知できていないのではないか」と考えた。そこで今度は、人為的に能力を引き上げることでこの仮説を検証した。論理的推論課題で、ランダムに選んだ一部の学生に解き方のヒントを教えたのだ。

その結果はというと、ヒントなしの下位4分の1の学生は、実際の平均得点11・9点に対し、自己評価は55点で、他の学生の解答を見せるとそれが55・8点へと上がった（やはり過大評価が広がった）。

それに対してヒントを与えられた学生は、平均得点が14・5点に上がったが、その一方で、自己評価は54・7点と、ヒントなしの学生とほとんど変わらなかった。だが問題についてより正確に理解できた彼ら／彼女たちは、他の学生の解答を見せられると、自己評価を44・3点へと大きく引き下げ、それ以上に驚いたことに、得点予想では50・5点から31・9点へと18・6ポイントも過大評価を修正したのだ（ヒントなしの学生は55・2点が54・3点になっただけだった）。

この結果は、能力の低い者にとっては朗報に思えるが、話はそう簡単ではない。問題解決へのヒントを与えられた学生はもはや「能力が低い」とはいえないし、人生で出合うあらゆる問題に同様の簡便な「能力増強」の手段があるわけではないからだ。

こうしてダニングとクルーガーは、シンプルかつ強力な結論を導いた。それを簡潔に表現するなら次のようになるだろう。

「バカの問題は、自分がバカであることに気づいていないことだ」

自分の能力についての客観的な事実を提示されても、バカはその事実を正しく理解できないので（なぜならバカだから）自分の評価を修正しないばかりか、ますます自分の能力に自信をもつようになる。まさに「バカにつける薬はない」のだ。

ここまで読んで、あなたは「バカってどうしようもないなあ」と嗤ったにちがいない。だがダニング＝クルーガー効果では、バカは原理的に自分がバカだと知ることはできない。私も、そしてあなたも。

＊ダニング＝クルーガー効果については、その原因がメタ認知能力の不足であるかどうかの議論がいまも続いているが、その後の研究でも、さまざまな領域でダニング＝クルーガー効果と同じ認知バイアスが確認されている。

6 「知らないことを知らない」という二重の呪い

「バカの問題は自分がバカであることに気づかないことだ。なぜならバカだから」というのがダニング＝クルーガー効果だ。1999年にこの研究が発表され大きな評判を呼んだのは、誰もが漠然と感じていたことを実験によって証明したからだろう。

その後もデビッド・ダニングは研究を続け、知と無知には三つのパターンがあると主張した。

一つめは、「知っていることを知っていること」。足し算の規則を知っているなら、自分が「5＋3＝8」と計算できることを知っている。

二つめは、「知らないことを知っていること」。私はパソコンがどのようなプログラムで動いているのか知らないが、自分が無知なことは知っている。パソコンが故障したら自分で修理しようなどとはせず、サポートセンターに電話するだろう。

科学やテクノロジーが急速に発達したことで、わたしたちは「知らないこと」のなかで暮らすようになった。スマホでなぜメールが送れるかも、口座のお金がどうやって海外に送金できるのかも、正確に説明できるひとはほとんどいないだろうが、それでも日々を大過なく過ごしているのは、知らないことを他者（専門家）にアウトソースしているからだ。

三つめは、「知らないことを知らないこと」。これがダニング＝クルーガー効果で、「二重の無知」あるいは「二重の呪い」と呼ばれる。知らないことを知らなければ対処のしようがないからだ。

ダニングは指摘していないが、「知っていることを知らない」という四つめのパターンもありそうだ。これは「直観」とか「暗黙知」と呼ばれている。

近年の脳科学は、無意識はときに意識（理性）より高い知能をもっていることを明らかにした。テーブルの上に二つのカードの山があり、一方は賞金も大きいが損する額も大きい（ハイリスク・ハイリターンで長期的には損をする）、もう一方は賞金も損失も小さい（ローリスク・ローリターンで長期的には得をする）ようにすると、意識がどちらの山が有利か気づく前に、危険なカードに手を伸ばしたときに指先の発汗量が増える。この「嫌な予感（無意識の知能）」によって、なぜかわからないまま正しい選択ができるのだ。

この四つめのパターンは、芸術家によくあてはまる。モーツァルトに「なぜこの旋律を思いついたのか」と訊いても、理路整然と説明することはできなかっただろう。音楽家だけでなく、画家や詩人、歌手や俳優、あるいはスポーツ選手も、なぜ自分が「できる」かを「知らない」のではないか。ひとびとが感動するような素晴らしいものは暗黙知から生まれるのだ。

ダニング＝クルーガー効果は、従来の教育に重大な疑問を突きつける。これまで学校では、子どもに知識を教えれば自然に学力は伸びていくとされていた。世界じゅうどこの教師も、授業を理解できたかテストして、その結果を生徒にフィードバックしている。だがダニングによれば、この方法で学力を高められるのは認知能力の高い子どもだけだ。こうした生徒は、自分がなにを知らないかを知っているので、間違ったところを修正して正しい知識に到達できる。

ところが認知能力の低い子どもは、なにを知らないかを知らないので、フィードバックを受け取ってもどうしていいのかわからない。どこでなぜ間違えたのかを理解できない子どもが（たくさん）いることは、教育者ならみんな知っているだろう。

間違いがつねに無知からもたらされるともいえない。「53－37」を16ではなく24と答える子どもがいる。これは「大きい数から小さい数を引く」という規則に、それぞれの桁で従っているのだ。

このケースでは、子どもは誤ったルールで「正しく」問題を解いている。計算の前提が間違っていることに気づかなければ、繰り下がりのある引き算はすべて不正解になるが、「57－34」のような引き算は正解できるから、なぜうまくできないのかを知ることは難しいのかもしれない。

ここから、幼児期はさほど差がなかったのに、小学校高学年になる頃には学力に大きな差がつくことを説明できるだろう。認知能力の高い子どもがフィードバックを受けて学力を高めていくのに対し、認知能力が低い子どもは、授業内容が難しくなるにつれて脱落してしまうのだ。

あらゆる分野でダニング＝クルーガー効果が同じ影響を及ぼすわけではない。[2]自分でバスケットボールのフリースローをすることと、選手のフリースローの能力を評価することはちがうが、どの選手が上手いかはある程度わかるだろう。

実力と自信が完全に一致する場合の相関関係は1、まったく一致しないと0になる。相関関係が1だと、他人に対する「こうすればいいのに」というアドバイスを、自分でも完璧に行なうことができる。逆に相関関係が0だと、自分はなにひとつ満足にできないのに、他人を批判することだけに長けている（かなりイヤな奴だ）。

スポーツの場合、他者のパフォーマンスへの評価と本人の成績との相関関係は0・47前後になるが、この相関関係は、技術知識で0・33、面接能力で0・28、一般的な機械知識で0・2、医療関係の技術と対人能力で0・17と下がっていく。管理能力にいたっては0・04で、他人に対する評価と自分の実力がほとんど一致しない。

これは、スポーツと事務系・技術系の仕事のちがいというわけではないだろう。プロのサッカーチームの監督より自分の方が有能だと思っているファンはいくらでもいる。だとしたら、直感的に自分でもできそうだと思えるかどうかのちがいではないだろうか。バスケットボールのフリースローの成功率は体験的に知っているが、サッカーチームの監督がなにをしているのかはよくわからないので、自分でもできると思う。高度な外科手術は無理でも、問診や注射くらいならできそうに思えるのも同じだ。

そう考えれば、管理者の能力を正しく評価できないのも当然だろう。部下はみんな上司の仕事を低く評価し、自分の方がずっとうまくやれると思っているのだ。

ダニング＝クルーガー効果のもう一つの重要な発見は、認知能力の低い者が自分を過大評価する一方、認知能力の高い者が一貫して自分を過小評価していることだった。なぜこんなことになるかは、人類の進化の歴史から説明できるのではないか。

ヒトは旧石器時代から何百万年も、150人ほどの小さな共同体のなかで地位をめぐって争ってきた。評価の基準は時代や環境によって異なるだろうが、能力のある者が高い地位を獲得する原則は同じだったはずだ。だとしたら、自分に能力がないことを他者に知られるのは致命的だ。このようにして、能力を大幅に過大評価するようになった。

その一方で、すぐれた能力があることを他者に知られることもまたリスクだ。権力者が真っ先に排除しようとするのは、将来のライバルになりそうな有能な者だからだ。このようにして能力を過小評価し、共同体のなかで極端に目立つことを避けようとしたのではないだろうか。

ハリネズミのように自分を大きく見せるのも、能ある鷹が爪を隠すのも、生き延びるために脳に埋め込まれた戦略なのかもしれない。

7　民主的な社会がうまくいかない不穏な理由

「三人寄れば文殊の知恵」では、一人の限られた知識で問題を解決しようとするよりも、さまざまな知識をもつ者たちが集まって協力したほうがよい結果を生むとされる。

その一方でダニング＝クルーガー効果は、能力の高い者が自分の成績を過小評価し、能力の低い者は逆に（大幅に）過大評価することを明らかにした。だとしたら、これでほんとうに「文殊の知恵」を実現できるかは誰もが知りたいと思うだろう。

いまから100年以上前に、ダーウィンのいとこで近代統計学の祖でもある（優生学を唱えたことで悪名も高い）フランシス・ゴルトンがこの疑問を調べている。

啓蒙主義時代のスーパー知識人だったゴルトンは、家畜の品評会で牛の体重当てコンテストの投票用紙約800枚を集め、素人を含む参加者全員の投票の平均が、優勝者（専門家）より正確であることを発見した。素人判断は極端に重かったり軽かったりするものの、多数の投票で間違いが相殺されて、平均が正解に近似していくのだ。

これは民主政（デモクラシー）の優位を示す心強い知見に思えるが、重要なちがいが一つある。コンテストの参加者は、お互いに相談したりせず、牛の体重の予想をただ紙に書いただけだった。しかし民主政では、古代ギリシアのアゴラ（広場）で行なわれた討論会のように、みんなで話し合うことになっている。

個人の独立した判断をただ集計するのではなく、話し合いのように、能力が異なる者が互いに影響し合ったときでも「集合知」は実現できるのだろうか。

これを調べるには、被験者をＩＱ（知能指数）でグループ分けし、利口な者同士、バカな者同士、利口とバカの組み合わせで議論させ、正答率がどうちがうかを調べてみればいい――などという実験が許されるわけがない。

そこで認知神経科学者のバハドル・バーラミらは、次のような巧妙な仕掛けを考えた。[3]

2人1組の被験者がディスプレイに表示された6つの薄い円を見ている。視力検査の要領で、そのうちの1つのコントラストがわずかに強くなるので、そこにカーソルを合わせるよう指示される。

このとき、一方の被験者のディスプレイだけ画像が乱れる。この工夫によって、能力の高い者（よりはっきり画像が見えている）と低い者（画像がぼやけてうまく見えない）を人為的につくり出せる。

両者の意見が一致すればそこで終わりだが、不一致の場合、以下の三つの方法で意思決定が行なわれる。

①コイン投げと同じで、どちらが正しいかをランダムに選ぶ。
②能力が高い者の選択が常に正しいとする。
③2人で話し合って決める。

「文殊の知恵」がほんとうなら、話し合いで決める③は、どんな場合でも、コイン投げの①はもちろん、優秀な者が意思決定する②よりもよい結果を出せるはずだ。

そして実際、その通りになった。ただし条件が一つあって、話し合いでプラスの効果が見られたのは、2人とも一定以上の能力がある（画像が不鮮明ではない）ときだけなのだ。

では、2人のうち1人の能力が劣る場合はどうなるのかというと、残念なことに、話し合いによって結果はどんどん悪くなり、優秀な者の決定に劣るだけでなく、コイン投げのほうがマシになってしまった。
なぜこんなことになるかは、旧石器時代の濃密な共同体から説明できるだろう。地位をめぐって競争しているときに、高い地位につく資格がないことを自ら認めるのは致命的だ。こうして能力の低い者は、その事実を相手に知られないように、自分の実力を（無意識に）過大評価する。

一方、能力の高い者は、相手も自分と同等の能力をもっているだろうと（当初は）想定する。なんの情報もないときに相手を見くびると手ひどいしっぺ返しを食らうことがあるし、共同体のなかで目立ちすぎると、多数派によって排斥される危険があるからだ。

その結果、能力に大きなちがいがある2人が話し合うと、（自分の能力を過小評価している）賢い者が、（自分の能力を大幅に過大評価している）バカに引きずられ、間違った選択をしてしまうのだ。

この実験でもう一つ興味深いのは、成績を上げるのに重要なのはコミュニケーションで、お互いの実績を知る必要は必ずしもなかったことだ。能力が高い者同士のペアは、互いの成績をフィードバックされたときよりも、話し合っただけの方がよいパフォーマンスを示した。

この結果を研究者たちは、賢い者は、互いの自信を示し合うことで、実績を含むじゅうぶんな情報を得たからだと考えた。それに対して、たんに数値を提示されただけだと、相手の自信の程度がわからないので選択に迷いが生じるのかもしれない。

それに対して、2人のうち1人の能力が低いケースでは、正確なフィードバックがある方が確実に成績が上がった。これは根拠のない自信の化けの皮がはがれ、より冷静な判断ができるようになるからだろう。

賢い者がバカの過大評価に引きずられることを「平均効果」という。実験では、一方が他方の能力の40%を下回ると、話し合いの結果は優秀な個人の選択よりも悪くなった。

これがなにを意味しているかを考えると、次の二つの結論に至る。ただし、いずれもかなり不穏な話だ。

一つは、集合知を実現するには、一定以上の能力をもつ者だけで話し合うこと。これなら欠けた知識を持ち寄って、それを一つにまとめることで、個人の判断より正しい選択をすることができる。

もう一つは、それが無理な場合は話し合いをあきらめて、優秀な個人の判断に従った方がよい選択ができること。これはある種の貴族政だ。

〝不穏〟というのは、いずれの場合も、能力の劣った者を決定の場から排除する必要があるからだ。――これは私見で、研究者がこのような主張をしているわけではない。

21世紀になってから、欧米先進国の民主的な意思決定システムより、中国のような「独裁」の方が高いパフォーマンスを達成しているのではないかとの疑問が生じている。トランプ大統領誕生やブレグジット、移民問題など、欧米諸国がポピュリズムの嵐に翻弄されている間に、中国は一貫して高い経済成長を維持していた。

この懸念は、新型コロナの蔓延で欧米諸国が多数の死者を出す一方、徹底した社会統制を行なった中国が人的被害も経済的損害も軽微にとどめたことでさらに強まった（最近の中国は都市封鎖で苦労しているが）。バイデン政権の中国敵視政策の背景には、米国の理念の根幹にあるリベラルデモクラシーが敗北しつつあるのではないかとの恐怖があるのだろう。

ここで紹介した卓抜な実験で、民主的な社会の不愉快な現実をうまく説明できるかもしれない。納得できないひとは多そうだが。

8　バカに引きずられるのを避けるのは？

みんなで話し合うとよりよい選択ができるのか、それとも有能な人間が決める方がいいのか。この問いがきわめて政治的なのは、民主政と独裁政（貴族政）を連想させるからだ。

認知科学によってこの疑問には答えが出ているが、それを聞いてもたぶんがっかりするだろう。「条件によってよくも悪くもなる」という、なんとも味気ないものだからだ。

だったら、よい選択の条件とはなにか？　これにもちゃんと答えがあるが、あまり知られていないのは、大きな声ではいえないからだ。それをあえて簡潔にいうなら、「バカを排除する」になる。

さまざまな実験から、ひとは無意識のうちに集団のメンバーを平均化することがわかっている。この「平均効果」が生じるのは、愚か者が自分の能力を（大幅に）過大評価し、賢い者が自分の能力を過小評価するからで、その結果、集団での決定はバカに引きずられてしまう。

この悲劇を避けるもっともよい方法は、一定以上の能力をもつ者だけで議論することだ。

これを実践しているのがシリコンバレーのＩＴ企業で、世界じゅうからとてつもなく賢い若者たちを集め、明快なミッション（世界を変える、あるいはものすごく儲ける）を与えて協働させることで、きわめて効率的な組織を生み出した。

ここで重要なのが「多様性」で、高い知能をもつ者たち（ここにはなんの多様性もない）が、文化や宗教、性別や性的指向など異なるバックボーンをもっていると、思わぬアイデアが大きなイノベーションにつながる。この「創発」によって、ＧＡＦＡ４社の株式時価総額が日本の株式市場の時価総額を超えることになった。

それに比べて日本企業は、日系日本人、男性、中高年、大学学部卒（それも多くは文系）という、凡庸かつなんの多様性もない集団によって支配されている。これでは、まともに「国際競争」などできるはずがなかったのだ。

とはいえ、シリコンバレーが成功したのは、年収数千万円で社員を募集したり、起業に成功すれば数兆円の富が手に入る機会を提供できたからだ。こんな場所がほかにあるわけもなく、一般化はできない。だとしたら、メンバーの能力に差のある集団の意思決定はどうすればいいのだろうか。

「平均効果」を発見した認知神経科学者のバハドル・バーラミは、その後、「言語条件」と「非言語条件」の二つの設定で意思決定の質を調べた。[4]

「言語条件」では、能力の異なる2人の参加者が話し合って決定したが、予想どおり、能力の高い者が低い者に引きずられてパフォーマンスが下がった。

「非言語条件」では、2人は会話をせず、確信度を1（非常に疑わしい）から5（絶対に確信している）の5段階で伝えた。するとこの条件では、能力の高い者の決定とほぼ変わらないパフォーマンスを達成できた。

この実験から、問題は「会話」にあることがわかった。話し合わなければ意思決定の質は下がらないのだ。

なぜこんなことになるのか。それは「自尊心」で説明できるだろう。

実験では、画面に映された6つの淡い円のうち、1つだけがすこし濃くなるので、被験者はそこにカーソルを合わせるよう求められる。ただし一方の画面にはノイズが走り、どれが正解かよくわからない。

この場合、（画面にノイズがある）能力の劣った者にとって、合理的な選択は（ノイズのない）能力の高い者の答えに合わせることだ。だがこの程度のことですら、相手と話し合う条件では、自分がよく見えていない（能力が低い）ことを認めることができなかった。

能力が低い者が過度な自信を示したことで、能力が高い者は自分の自信が揺らぎ、その一部は決定を変えた。これが「バカに引きずられる」メカニズムだ。

ところが相手と会話することなく、自分がどの程度見えたのかを機械的に報告するだけなら、このような「平均効果」は発生しない。なぜなら、この設定では被験者の自尊心が脅威にさらされないから。

社会心理学では、わたしたちは固有の「自尊心メーター」をもっていると考える。このメーターの針が上がると幸福感を覚え、針が下がるとものすごい音でアラーム（危険信号）が鳴る。

自尊心というのは、要するに他者の評価のことだ。ヒトは徹底的に社会的な動物なので、他者からの評価が自尊心や自己肯定感と結びつくように「設計」されている。

その一方でわたしたちは、自尊心が下がることを、殴られたり蹴られたりするのと同じように感じるらしい。脳は感覚器官からの入力を処理するだけなので、ナイフで刺されることと、面とむかって批判されること（いまならＳＮＳで炎上すること）を区別できないのだ。

ヒトは数百万年かけて、どんなことをしてでも自尊心を高く保つ一方、自己肯定感が下がる事態を死にものぐるいで避けるように進化してきた。

相手との会話で自分の能力を（無意識に）過大評価するのは、暴力から身を守るのと同じで、きわめて自然な反応だ。それに対して、会話なしの条件では自尊心は脅威にさらされないので、自信のなさを正直に伝え、より自信がある者に合わせることができるのだろう。

ここからわかるのは、話し合いのときに、一部のメンバーの自尊心を脅かすと、決定の質が大きく下がることだ。なぜならそのメンバーは、傷ついた自尊心を回復するためになりふりかまわなくなるから。

それ以上に問題なのは、一見、自信たっぷりに振る舞っていても、内心は強い不安を抱えている者が会議の場にいることだ。このタイプはつねに自尊心を高めなくてはならないので、話し合いの最中に頻繁に「マウンティング（優位性の誇示）」を行なう。なぜなら、自分より劣った者がいることを確認すると自尊心が上昇するから。

誰でも思い当たるだろうが、こういうタイプはどこの会社にもいる。それが上司や役員になると、意思決定は悲惨なことになる。

だがこうした状況でも、破滅的な事態を避ける方法がないわけではない。それは、集団での意思決定をしないことだ。

創業者のワンマン経営で会社が急成長するのは、日本だけでなく、アップルやアマゾン、テスラを見てもわかるように世界的な現象だ。だとすればこれは、文化のちがいではなく、ヒトの本性だと考えるほかはない。

ワンマン企業が成功する（可能性がある）のは、「独裁者」の意思決定によって「バカに引きずられる」効果を避けられるからなのかもしれない。

9　バカと利口が熟議するという悲劇

ここ何回か、「バカに引きずられる効果」について書いた。わたしたちは自分をつねに「人並み以上」だと思っていて、能力のない者が実力を大幅に過大評価する一方、第一印象では相手を「平均的」と見なすため、能力の高い者は（相手も同じくらいだろうと思って）自分の成績を過小評価し、結果として、バカと利口が「熟議」すると悲惨なことになってしまうのだ。

この「平均効果」で、現代社会で起きているさまざまな混乱をうまく説明できる。

ツイッターなどのSNSでは、すべての発言が平等に表示される。これはかつて「言論空間の民主化」ともてはやされたが、やがて陰謀論の温床になることがわかり、当初の熱狂はすべて消え失せた。

見ず知らずの相手の発言を評価するとき、わたしたちは実績よりも「自信」を参考にする。どれほどバカげた主張でも、相手が自信たっぷりだと思わず信じてしまうのだ。

「相手のことをとりあえず信用する」のがデフォルトになっているのは、ヒトの本性が性善説だからではなく、脳の認知能力に限界があるからだ。

わたしたちは日々膨大な選択を迫られ、次々と判断を下しながら生きている。そんななかで、ひとつのことをじっくり考えて、なにが正しいかを決めるのはものすごく大きなコストがかかる。

過酷な環境で素早い判断をしなければ生き延びられないなら、もっとも効果的なのは「デフォルト」を決め、それに反した「異常」な出来事だけに関心を向けることだ。これで「考える」ことを最小限にし、希少な認知資源を無駄にしなくてすむ。

人類は数百万年にわたって、濃密な共同体で狩猟採集をして暮らしてきた。そのような環境では、相手の言葉をとりあえず信じるのが最適戦略だ。「いいひと」はだまされてヒドい目に遭うこともあるだろうが、そのときは不正を大声で言い立て、周囲の同情を買うことで相手に制裁を加えられる。

誰もが隣人の私生活を知っている「超監視社会」では、相手をだます＝悪い評判が立つと共同体から排除されてしまう。旧石器時代には、それは即座に「死」を意味しただろう。このようにして、正直に振る舞うことと、相手を信用すること、すなわち「性善説」が報われるよう進化したのだ。

だがこの評判システムは、ウソをついた者を特定して制裁する「暴力装置」がないとうまく機能しない。無条件でなんでも信用するお人好しからどれほど搾取しても罰せられないなら、いいようにだまして得しようとする「性悪説」がのさばるに決まっている。

こうして、人口が増えてだまされるリスクが大きくなるにつれて、信用を補完するさまざまな社会制度が生まれた。かつてはそれは身分やイエだったが、いまでは学歴や資格、所属する組織だ。わたしたちは、医師・弁護士などの国家資格者や国家公務員、一流企業の社員を無条件で信用している。

だがSNSには、こうした信用を補完するものがほとんどない。本名なら経歴を検索できるが、匿名アカウントには使えない。フォロワーの数を知ることはできるが、それが信用力と連動している保証はない。

それにわたしたちは、匿名の信用力が本名に劣るとも思っていない。隠蔽された事実を暴くために、匿名にせざるを得ないかもしれないのだ。

ひとは「進化の設計図」によって、SNSの投稿をデフォルトで（とりあえず）信用する。これを巧妙に利用しているのが、「反ワクチン」派のプロパガンダだ。

典型的なのは、「医療関係者ですが、健康だった知人がワクチン接種の翌日に突然死し、そのことはいっさい報じられていません」という類の匿名投稿だ。ほんとうに医療関係者なのか、接種後の突然死が実際にあったのか、検証は不可能だが、だからといってつくり話と決めつけることもできない。

このようなとき性善説では、「そんなこともあるかも」とデフォルトで信用する。疑うためには、そのアカウントの過去の投稿を調べたり、批判的なコメントを読んだりしなければならないが、わざわざそんなことをするひとはほとんどいない。なぜなら「面倒くさい」から。

脳は大量のエネルギーを必要とする器官なので、ふだんは自動運転に任せ、認知的な能力を徹底的に節約するようにできている。いったん「信じる／信じない」と決めてしまったら、よほどのことがないと、その判断を見直そうとは思わない。

さらに問題なのは、「平均効果」によって、自分の判断を（大幅に）過大評価してしまうことだ。この状況で自分とは異なる主張に接すると、それを個人攻撃だと思う。これは不思議な現象だが、不特定多数に向けた発言でも、面と向かって「お前はバカだ」といわれたように感じるひとが一定数いるようなのだ。

ひとは攻撃されれば反撃するし、自尊心を守るためにはどんなことでもする。SNSで執拗に誹謗中傷を繰り返すのは、傷ついた自尊心を回復しようとする死にものぐるいの抵抗なのだろう。

自分の方が優位だと思っている相手から批判されると、アイデンティティへの重大な脅威になる。

自分が白人であることしか誇るものがないのが「白人至上主義者」だが、ネトウヨは「日本人」であることしか誇るものがない。その壊れやすいアイデンティティに必死にしがみつくことが、敵対する者に「反日」のレッテルを貼って「在日認定」するという奇妙な現象を生んだ。

「女は男より劣っている」というジェンダー観をもっている場合は、男性中心主義への批判を異常に敵視するようになる。これが「ミソジニー（女嫌い）」で、それに対抗して「フェミニスト」が男社会を過剰に敵視する傾向も、日本だけでなく世界じゅうで起きている。

このようにしてSNSでは、なにが事実でなにがフェイクか検証されないまま、異なるアイデンティティをもつ者が互いに「部族（トライブ）」をつくって罵詈雑言をぶつけあうようになった。

致命的なのは、脳にはネット上のたんなる言い合いと、部族間の殺し合いの区別がつかない（らしい）ことだ。進化の過程にＳＮＳなどなかったのだから、それに適応できるはずがない。こうして、ささいな対立が収拾のつかない混乱へと拡大していく。

このやっかいな問題を解決するには、投稿者一人ひとりを（マイナンバーなどで）本人と紐づけて、ルール違反を即座に処罰できるようにしなければならない。それに加えて、投稿者の信用度を評価して公開し、一定以下だとＳＮＳから排除する仕組みも必要だろう。

原理的に考えれば、バカを排除する以外に、「バカに引きずられる効果」から逃れる道はない。このように考えると、どんどん隣の大国に似てくるが、性悪説のぎすぎすした社会ではなく、性善説を守ろうとすればこうなるほかないのかもしれない。

10　過剰敬語「よろしかったでしょうか」の秘密

真っ暗な部屋のなかで赤、青、黄色のランプがときどき光る。あなたの前に3つのボタンがあり、赤は右、青は左、黄色は真ん中を押す。脳の気持ちになってみるなら（なりたくないだろうが）、1日24時間、こんな退屈なことばかり繰り返している。

この作業では、なぜ赤のランプが光ったのかを考える必要はない。家族の死のような悲劇に見舞われたのかもしれないし、たんに水が冷たかっただけかもしれないが、理由の如何にかかわらず自動的に右のボタンを押すだけだ。

心理学者は、こころと身体がつながっていることにずいぶん前から気づいていた。親から叱られて泣きさけぶ子どもは、転んで怪我をして泣く子どもと（脳のレベルでは）同じ経験をしているのではないか。この疑問は1970年代に、生後まもないサルに強力な鎮痛作用のあるモルヒネを投与する実験で確かめられた。痛みを感じなくなった子ザルは、母ザルから引き離されても泣かなくなったのだ。

痛みは生存にとってきわめて重要な情報なので、さまざまなルートで脳に伝えられる。皮膚や軟部組織にはいたるところに痛みのセンサーとなる侵害受容器があり、圧力や温度などが一定のレベルを超えると脳に信号を送って、それが痛みとして知覚される。だがそれ以外にも、視覚（強烈な光）や聴覚（爆音）など他の感覚器官も痛みの信号を送っている。だとしたら、社会的な危機（子ザルにとっては母親から引き離されることは重大な生存への脅威だ）で脳に痛みの信号を送るのは理にかなっている。

このことは2003年に、サイバーボールというコンピュータゲームを使った実験で、脳科学のレベルで確かめられた。[5]

脳画像撮影装置に入った被験者は、他の2人とディスプレイ上で仮想のキャッチボールをする。だがしばらくすると、2人は被験者を除け者にして自分たちだけでボールを回すようになる。

じつはこれはコンピュータのプログラムなのだが、被験者は理由もなく仲間外れにされたように感じる。このときの脳の様子を観察すると、身体的な痛みと関係している部位（背側前帯状皮質と前島）の活動が高まっていた。

次いで研究者は、被験者に面接を受けさせ、評価者のさまざまなコメントを伝えた。

このとき「つまらない」など批判的なコメントを聞いた被験者の脳は、やはり身体的な痛みを感じる部位の活動が高まった。

仲間外れにされたり、他者から批判されることと、殴られたり蹴られたりすることを、脳はうまく区別できないらしい。いずれの場合も、脳内では同じ赤のランプが光るのだ。

ひとは、共同体のなかでの評価を自尊心によって計測するよう進化してきた。高い評価を得る（青のランプが光る）と自尊心メーターの針が上がり、高揚感と強い幸福感をおぼえる。逆に低い評価をされる（赤のランプが光る）と、不安や絶望に打ちのめされる。

わたしたちはつねに、（無意識のうちに）できるだけ多くの青いランプを集め、赤いランプを徹底的に避けようとしている。

痛みの特徴は、他の感覚とは異なって、即座の対処が必要なことだ。火災報知機が鳴っているときに、のんびりテレビを見ていては焼け死んでしまう。赤いランプが光ったら、なんらかの攻撃を受けているのだから、放置してすますことはできない。

こうした状況は「闘争か逃走か」で知られるが、近年は「Flight（逃走）、Fight（闘争）、Freeze（すくみ）」の「3F」と呼ばれるようになった。

攻撃を受けたとき、生き物はまず逃げようとし、それが無理なら反撃する。逃げることも闘うこともできない絶体絶命のときは、体温と心拍数を下げ、胃や腸内のものを排泄し、意識を失う。なぜ「死んだふり」をするかというと、一般に捕食者は死んだ動物の肉を食べないからだ。

学校のいじめにおいては、いじめられた子どもは逃げることも闘うこともできずフリーズする。だがこれは、脳にとっては大音量で警報が鳴っている状態なので、日常化するとさまざまな深刻な精神症状が現われる。そう考えれば、いじめ問題の本質は、学校という逃げ場のない空間に同世代の子どもたちを〝監禁〟するという、進化の歴史ではあり得ない「異常な文化」にあるのだろう。

いったん自尊心への脅威だと見なすと、脳はただちに「攻撃モード」になるので、相手の言葉に耳を貸そうとはしない。この時点で、もはや熟議も説得も不可能になっている。

かつては、年長者（先輩）は年下（後輩）に、男は女に優越的に振る舞うのが当然とする文化規範があった。共同体の構成員全員がこの規範に従うのなら、「身分」に則った言動が自尊心を傷つけることはない（みんな同じで、しかたのないことだから）。

教育が成立するには、教師と生徒は「身分」がちがわなければならない。「学校はそういうところ」という合意が教師や生徒、親（地域社会）のあいだで成立していてはじめて、教師は生徒を叱りつけることができる。

ところが社会のリベラル化が進み、生徒が教師と対等だと思うようになると、叱責は自尊心への攻撃と見なされる。こうして教師—生徒の制度的な枠組みが壊れ、「校内暴力」や「学級崩壊」が起きることになった。近年、生徒たちがおとなしくなったのは、教師が生徒と「友だち」として接するようになり、自尊心を傷つけなくなったからだろう。

社会がリベラルになり、すべてのひとが平等の権利を保障されるのはもちろんよいことだが、人間関係がフラットになると、どんな言葉が相手を傷つけるかわからなくなる。こうして若者たちは、「よろしかったでしょうか」のような過剰な敬語を使うようになり、会社でも上司が部下に敬語で話しかけるのが当たり前になった。いまや、すべての会話が相手の自尊心を傷つけないよう、細心の注意を払って行なわれている。——興味深いのは、アメリカでは平社員が上司ばかりか社長まで名前で呼び捨てにするという逆の方向（カジュアル化）で形式上の平等が達成されていることだ。

だがこれは、相手の反応が目に見え、人間関係を紛糾させると自分が不利になるとわかっている場合の話だ。ところがＳＮＳでは、多くは匿名で意見の交換が行なわれ、テキストの向こうに人格を想像することは難しい。

古今東西の歴史をひもとけばわかるように、人間は匿名の陰に隠れるとかぎりなく残酷になる。戦場で想像を絶する残虐行為が行なわれるのは、軍隊が個人ではなく匿名の「兵士」の集団だからだ。

ＳＮＳは人類の進化には存在しない環境で、自分は安全な場所にいながら、相手を一方的に攻撃できるという、言論空間のプラットフォームとしては最悪の環境をつくり出した。そこでは、ささいなことで自尊心を傷つけられたと感じた者たちが罵詈雑言や誹謗中傷をぶつけ合っている。

ここまでは、人間の本性からの論理的帰結だ。悩ましいのは、だったらどうすればいいかの答えが、まだどこにもないことだ。

11 日本人の3人に1人は日本語が読めない？

集団ですぐれた意思決定をするための条件は、人種、民族、国籍、宗教、性別、性的指向などが異なるメンバーを集める多様性と、その全員が一定以上の能力をもっていることだ。このふたつの条件を満たすと、多様な意見が「化学反応」を起こし、とてつもないイノベーションが生まれる可能性がある。

ところが、自然に生まれる集団ではこれとは逆のことが起こる。

ひとは生得的に、自分と似た者に惹かれる性質があるので、アメリカのような多文化社会では、人種や民族、宗教ごとにコミュニティがつくられるが、知能や学力で選別するようなことはない。知識社会は産業革命以降に成立したので、そんなグループ分けをする本能は脳に埋め込まれていない。だからこそ有名大学やシリコンバレーのＩＴ企業は、人為的な方法（入学試験や高報酬）で能力の高い者だけを集めているのだ。

その結果わたしたちは、なんの多様性もなく、知能・能力だけが大きくばらついている社会で暮らしている。これが、民主政を擁護するひとたちの期待に反して、「熟議」が混乱しか生まない理由だろう。

では、知能はどの程度ばらついているのか。これについては「日本人の3人に1人は日本語が読めない？」として何度か書いたことがあるが、重要な「ファクト」にもかかわらずほとんど誰も触れようとしないので、ここであらためて述べておこう。

ＰＩＡＡＣ（国際成人力調査）はＰＩＳＡ（学習到達度調査）の大人版で、ＯＥＣＤ加盟の先進国を中心に、24カ国・地域の16～65歳約15万７０００人を対象に、２０１１～12年に実施された。[6]

ヨーロッパでは若者を中心に高い失業率が問題になっているが、その一方で経営者から、「どれだけ募集しても必要なスキルをもつ人材が見つからない」との声も寄せられていた。プログラマーを募集したのに、初歩的なプログラミングの知識すらない志望者しかいなかったら採用のしようがない。

そこで、失業の背景には仕事とスキルのミスマッチがあるのではないかということになり、仕事に必要な「読解力」「数的思考力」「ＩＴスキル」を実際に調べてみたのだ。

ＰＩＡＡＣの問題はレベル1から5まであり、レベル3は「小学校5年生程度」の難易度とされている。

「読解力」のレベル３の問題例では、図書館のホームページの検索結果を見て、「『エコ神話』の著者は誰ですか」という問いに答える。あまりに簡単だと思うだろうが、正解するためには、問題文を正しく読めるだけでなく、「検索結果をスクロールし、そこに該当するものがなければ『次へ』の表示をクリックする」というルールに気づかなくてはならない。

この問題に正答できない成人は日本では27・７%で、３〜４人に１人になる。

レベル４の問題では、１５０字程度の本の概要を読んで、質問に当てはまる本を選ぶが、日本では８割近い（76・３%）成人がこのレベルの読解力をもっていない。ツイッターの文字数の上限は１４０字なので、５人のうち４人は書いてあることを正しく理解していない可能性がある。

「数的思考力」のレベル３は立体図形の展開で、日本の正答率は62・５%だ。レベル４は単純なグラフの読み取りで、ビジネスでは必須の能力だが、このレベルに達しているのは日本人の約２割（18・８%）しかいない。

「ＩＴスキル」のレベル３では、メールを読んで会議室の予約を処理する。事務系の仕事では最低限必要な能力だと思うが、日本人でこれをクリアしたのはわずか8・3％だけだ。

この結果をまとめると、次のようになる。

①日本人のおよそ3分の1は「日本語」が読めない。
②日本人の3分の1以上が小学校3〜4年生以下の数的思考力しかない。
③パソコンを使った基本的な仕事ができる日本人は1割以下しかいない。

だが驚くのはこれだけではない。この惨憺たる結果にもかかわらず、日本人の成績は先進国で1位だったのだ。

OECDの平均をもとに、先進国の労働者の仕事のスキルを要約すると次のようになる。

①先進国の成人の約半分は簡単な文章が読めない。
②先進国の成人の半分以上が小学校3〜4年生以下の数的思考力しかない。

③先進国の成人のうち、パソコンを使った基本的な仕事ができるのは20人に1人しかいない。

だがこれは、一般に知られていないだけで、専門家には周知の事実だったはずだ。

PIAACに先んじて、アメリカでは仕事に必要な成人のリテラシーを計測するために、1985年、1992年、2003年に大規模な「全米成人識字調査」を行ない、「文章リテラシー」「図表リテラシー」「計算リテラシー」を調べている。その結果を要約すると、以下のようになる。[7]

①アメリカの成人の43%は仕事に必要な文章読解力がない。
②同じく34%は仕事に必要な図表課題をクリアできない。
③同じく55%は仕事に必要な計算能力がない。

なお、この調査では学歴別の結果も調べており、高度な事務作業に必要な計算スキルをもつ成人は大卒では31%だが、高卒では5%、高校中退では1%しかいない。この

「学歴（知能）格差」によって白人労働者層が仕事を失い、トランプ前大統領の岩盤支持層になった。

これらの結果は衝撃的だが、学力（偏差値）がベルカーブになることを考えれば当たり前でもある。

正規分布では、平均（偏差値50）から1標準偏差離れた、偏差値40～60の範囲に68・3％の事象が収まる。2標準偏差離れた偏差値60～70と30～40はそれぞれ13・6％、3標準偏差離れた偏差値70～80と20～30はそれぞれ2・15％だ。

日本では高い偏差値ばかりが注目されるが、人口のおよそ6人に1人は偏差値40以下だ。だがこのひとたちは、高度化する知識社会のなかで「見えない存在」にされている。

問題は、知識社会が（無意識のうちに）ひとびとの知能を高く見積もっていることだろう。

税務申告書から生活保護の申請まで、説明を読んで役所の書類を正しく記入するためには、偏差値60（MARCHや関関同立）程度の能力が必要になる。そうなると、自力で申請できるのはせいぜい5人に1人で、残りは（お金を払って）誰かに頼るか、あきらめるしかない。

この現実に気づかないのは、社会を動かしているのが高学歴のエリートで、自分のまわりにも同じような高学歴しかいないからだ。

ダチョウは、追いつめられると頭を砂に埋めるという（事実ではないらしいが）。「民主主義」を信じているひとたちも、それがうまくいかないと、「知能の格差」という不愉快な事実から目を背け、このダチョウのように、「資本主義批判」という砂のなかに頭を突っ込んで安心しようとするのかもしれない。

12　投票率は低ければ低いほどいい

バカと無知はちがう。バカは能力の問題だが、無知は問題解決に必要な知識を欠いていることだ。あなたがどれほど賢くても無知な可能性はあるし、実際にはほとんどのことで無知だろう。

わたしたちが無知なのは、現代社会がものすごく複雑だからだ。日常のあらゆる疑問（飛行機はなぜ飛べるのか？）に対して厳密な知識を得ようと思えば、二つか三つで人生が終わってしまう。――研究者というのは、たった一つの疑問を生涯考えつづけるひとのことだ。

もちろん、すべてのことに無知だと生きていくことができない。そのためわたしたちは、きびしい制約（1日は24時間で、睡眠時間を除けば16時間程度しかない）のなかで、なんとか必要最低限の知識を手に入れようと四苦八苦している。

テレビやパソコンを買うときは、すべてのメーカーのモデルを詳細に比較するのではなく、知人や家電量販店の店員のアドバイス、インターネットの評判などを参考に、条件に合いそうなものを決めるだろう。ベストな選択ではないかもしれないが、大量の情報を入手・検討するコストを考えれば、ベターな選択の方がコスパがいいのだ（限定合理性）。

政治学では、有権者の「政治的無知」がずっと喉に刺さった小骨のようになっている。民主政（デモクラシー）では、公正な選挙によって国民の正当な代表が選ばれるが、あらゆる調査において、有権者は投票に必要な基本的な知識をもっていないことが明らかになっているのだ。[8]

「政治的無知」の調査はアメリカで詳細に行なわれていて、それによると、平均的なアメリカ人は大統領が誰かは知っているが、それ以外の知識はきわめて心もとない。「経済が重要だ」というひとでも、失業率や経済成長率をおおよそでも知っている割合は半分以下だ。上院と下院でどの政党が多数派なのかの正答率も5割を切っている。しかもこれは選択式の質問なので、あてずっぽうでもある程度は正解できる。それを考慮すると、基本的な政治知識をもっている有権者は（よくても）2～3割程度しかいない。

この結果を見て「アメリカ人はバカだなあ」と笑っているわけにはいかない。201

4年の国際調査では、平均的な日本の回答者は、失業率を大幅に過大評価し、殺人件数が減少ではなく増加していると誤解し、移民の割合を実際より5倍も多いと信じていた。それでも日本の成績は14カ国中3位（上位はドイツとスウェーデン）で、13位のアメリカよりずっとマシだが、日本人の約3分の2は政府の14の省庁の名前を半分もあげられず、大半は自分の選挙区の国会議員立候補者についてほとんど知識をもっていない。これでは「目糞鼻糞を笑う」で、ぜんぜん自慢できることではない。

国政選挙のような大規模な投票では、一人ひとりの一票の価値はかぎりなく小さく、アメリカ大統領選では1000万分の1から10億分の1とされる（州によって異なる）。議院内閣制の日本では計算はより複雑になるが、自分の一票で候補者が当選し、その候補者の所属する政党が（連立を含めて）国会で多数を占めて政権をとる確率は、せいぜい数百万分の1だろう。これは要するに、「一票の価値はほぼゼロ」ということだ。

経済学が予想するように人間が合理的ならば、無価値なことのためにわざわざ投票所に行くはずはない。だが実際には、1990年までは国政選挙の投票率は7割程度を維持していたし、それ以降はかなり下がったものの、それでも有権者の半分は投票に行っている。

このことは、「合理的経済人」という経済学の前提が間違っている例としてよく挙げられるが、はたしてそうだろうか。

学校では「投票は国民の義務」と教えられ、社会人になれば（あるいは大学生でも）「選挙に行った?」と訊かれる機会は増える。民主的な社会では、「選挙に行かなければならない」という（かなり強い）同調圧力がかかっている。

もちろん、行っていないのに「行きました」と答えることはできるが、ウソをつくのは気分が悪いだろう。だったら、投票してすっきりしたいと思わないだろうか。

日曜に出かけるついでに近所の投票所に立ち寄るだけなら、じつはコストはそれほど大きくない。同調圧力に対処するためにささやかな負担をするひとが半分いることは、不思議でも何でもない。

だとしたら、真のコストはどこにあるのか。それは、候補者の詳細な情報を入手・検討し、誰に投票するかを決めることだ。

正しい投票のためには、自分がどのような政治を望んでいて、それに対して現状がどれほどかけ離れていて（あるいはうまくいっていて）、各候補者が掲げる政策がどのような影響を与えるのかを知る必要がある。「価値はほぼゼロ」なのに、こんな面倒なことをするひとがいるだろうか（すくなくとも私はやらない）。

ここから、有権者にとって合理的なのは「棄権」ではなく、「候補者についてなにも知らずに投票する」ことだとわかる。そのとき多くのひとが使うのがショートカット（思考の近道）で、「知り合いから頼まれた」「テレビで見た」「親の代から投票する政党を決めている」などの理由があれば、候補者選びのコストは大きく下がる。現実には、このように投票するひとがほとんどではないだろうか。

賢いひとも、政治については「合理的に無知」になる。なぜなら、その時間をほかのこと（仕事や趣味）に使った方がずっと有意義だから。

ここまではいいとして、有権者が「合理的に無知」だとすると、選挙で正しい選択ができるのだろうか。

この難問に対して、「過去の実績を参照する」「争点を絞る」「集計の奇跡（みんなの意見は案外正しい）」などの救済案が唱えられたが、どれもうまくいくとは到底いえない。当たり前の話だが、なにも知らずに適当に選んだテレビやパソコンが、自分にとって最善（に近い）などという都合のいい話があるわけがないのだ。

この懸念は、２０１６年のイギリスのＥＵ離脱を決めた国民投票とトランプ大統領誕生によって現実化した。有権者の政治的無知こそが、ポピュリズムのちからの源泉なのだ。

だったらどうすればいいのか。名案はないが、一つだけ確かなのは、無知な投票者が減れば、それだけ「民主的な決定」に近づくことだ。

投票率の低下が「民主主義の危機」として憂慮されている。だが有権者の大半が「合理的に無知」だとすれば、投票率は低ければ低いほどよいことになる。なぜなら、政治家・政党に投票する明確な理由があるひとだけが残るのだから。

とはいえ、さまざまな調査で、自分の信念を守るために投票するひとたちが一定数いることがわかっている。「コアな投票者」は右と左の極端なところに偏っているので、彼らに任せて「よりよい政治」が実現できるかは、正直、かなりこころもとないものがある。

13 バカでも賢くなれるエンハンスメント2・0の到来

身長や体重、あるいは足の速さなどと同様に、知能にはばらつきがあり、それはほぼベルカーブ（正規分布）になる（学生時代によく見せられた偏差値のかたちだ）。

教育幻想というのは、この不都合な事実を隠蔽するために、「学力は教育によって向上する（向上しなければならない）」とするイデオロギーだ。教育神話がどれほど魅力的かは、学年ビリのギャルが慶応大学に合格した話がベストセラーになったことからもわかるだろう。

これは日本だけの現象ではなく、アメリカでは貧困家庭に育った生徒が、熱心な教師やボランティアの支援を受けてハーバードなど一流大学に入学したことが定期的に話題になる。親も子どもも教育関係者も、みんな「教育は素晴らしい」というお話を信じたいのだ。

だが不思議なことに、底辺の生徒の学力を大きく引き上げた（とされる）数々の教育手法は、最初はメディアで大々的に報じられるものの、そのうち誰も触れなくなって忘れられていく。

なぜこんなことが繰り返されるかというと、どうやら当初の素晴らしい成果は、劣悪な環境のなかから優秀な子どもを発掘しているかららしい。つまり、ビリギャルが優等生に変身するのではなく、もともと優秀な女の子がたまたま〝ギャル〟をやっていたのだ。

ノーベル経済学賞を受賞したジェームズ・ヘックマンは、リベラリストとして格差拡大に胸を痛めていたが、その一方で経済学者として、格差解消に際限なく税を投入することには慎重だった。そこで、教育によってこの状況を改善しようと膨大な論文を渉猟し、幼児教育が重要であることを突き止めた。

ここまではよく知られているが、なぜヘックマンが就学前教育を重視したかというと、それ以降の教育が学力をほとんど向上させないという事実を受け入れざるを得なかったからだ。政府の教育資源にかぎりがある以上、まんべんなくばらまくのではなく、エビデンスによって費用対効果が確認されている貧困層の幼児に投資を集中すべきだとヘックマンは主張した。[9]

その後、子育てへの介入は早期であればあるほど効果が高いとされ、「幼児教育」は5歳から3歳、ゼロ歳へと遡り、最近では胎内環境が重要だといわれる。そうなれば、あとは遺伝子しか残っていない。

それでは、幼児期が過ぎてしまったらどうすればいいのか。

幸いなことに、脳はかつて思われていたよりもずっと可塑的で、変化しやすいらしい。ロンドン市内のすべての道路と、一方通行など複雑なルールを記憶しなければならないタクシー運転手の海馬（脳の記憶領域）が成長していることがわかって話題になったこともある。だがそれにもかかわらず、成人の学力を引き上げる画期的な教育方法はまだ見つかっていない。

しかし、希望が失われたわけではない。脳の認知領域を物理的に刺激することで「賢くなる」ことが可能だからだ。[10]

DBS（脳深部刺激療法）は、頭蓋骨を切開したうえで脳の特定部位に電極を埋め込む。1950年代のアメリカで同性愛の「治療」に使われたことで批判を浴び、ロボトミーや電気ショックとともに葬り去られたが、近年、パーキンソン病の治療法として復権し、投薬や心理療法の効かない難治性うつ病に劇的な効果があるとして注目を集めている。

興味深いのは、DBSで認知機能が向上したとの報告が相次いでいることだ。

ドーパミンを分泌させる報酬系（側坐核）を電気刺激すると幸福度が上がるので、不安障害やうつ病の治療に使われている。するとその副産物として、「言語能力から複雑な問題解決能力にいたるまで」さまざまな認知領域が活性化された。記憶力を増強する効果もあり、ある研究では、「とうの昔に忘れていた人生の出来事が、力強い生き生きとした映像になってあふれだしてきた」という。

アルツハイマー病は脳の神経細胞が壊死する疾患で、記憶力や判断力が失われていく。そこで前頭葉に電極を埋め込み、刺激することで症状の悪化を遅らせる治療が試みられているが、これを一般の被験者に行なうと、記憶能力を30％増強できるとの研究がある。DBSを使って勉強や仕事のモチベーションを上げることも可能だ。

2013年に発表されたスタンフォード大学の実験では、もともと性格のちがう2人のてんかん患者の中帯状皮質前方部に電極を埋め込み、微弱な電気刺激を与えた。すると2人とも、「何かしなければ、何かに取り組まなければ」という強い持続的な意欲を感じたという。

ＤＢＳでは、人格まで変わってしまうかもしれない。すくなくとも電気刺激によって、（ロックからカントリー・ミュージックへ）音楽の好みがまったく変わってしまった事例が報告されている。

頭蓋骨を切開するのはハードルが高いが、ｔＤＣＳ（経頭蓋直流電気刺激）では、頭皮に直接、低レベルの電流を流すだけで数学、語学、その他の学習スキルなどが向上した。大きな電磁コイル（磁石）を頭皮にあてるＴＭＳ（経頭蓋磁気刺激）は１９８０年代に開発され、一時期はオカルト療法の類とされたが、やはり抑うつ治療として復権した。これも、記憶力や想起スピードを向上させる効果が確認されている。

「賢くなる薬」も開発されている。ＡＤＨＤ（注意欠如・多動性障害）の治療薬として、アメリカではリタリンなどの中枢神経刺激薬が大量に処方され、子どもの頃からこうしたドラッグに馴染んでいる。そのため、大学生の４～25％が学業成績を上げるために神経増強薬を使っており、知的能力が要求される職業でも使用が広がっているという。

脳のエンハンスメント（増強）が夢物語だった時代は終わり、いまや現実のものになりつつある。最初は発達障害の子どもの治療などに使われるのだろうが、そうなると一般の（裕福な）親も、同じテクノロジーを用いて自分の子どもの脳を増強したいと思わないだろうか。

これについてはすでに議論になっていて、「ある領域の認知機能を強化すると、別の領域の能力が低下する」可能性を危惧する研究もあれば、「適切な範囲でいちばん早い年齢で介入し、その子の人生の過程で最大の効果が得られるようにすべきだ」との主張もある。

優生学は人間を家畜と同じと見なし、適性がある（とされた）者同士を交配させれば人類はより早く進化するとして、ホロコーストのような悲劇を生んだ。それに対して、遺伝子スクリーニングや遺伝子編集などのテクノロジーを、親が子どものために自由意志で利用するのが「優生学2・0」だ。

これについては議論百出で意見の一致は簡単ではないだろうが、わたしたちはそれよりもずっと早く、脳をDBSやTMS、あるいはドラッグで増強する「エンハンスメント2・0」の時代を迎えるかもしれない。

PARTⅢ　やっかいな自尊心

14 皇族は「上級国民」

自尊心をめぐる闘争ほどやっかいなものはない。面と向かって罵倒されたり、SNSで罵詈雑言を浴びせられることは、脳の生理的反応としては、殴られたり蹴られたりするのとまったく同じに感じられる。

皇族の一人がまさにこのような状況になって、複雑性PTSD（心的外傷後ストレス障害）と発表された。病名について異論はあるかもしれないが、「殴る蹴る」の精神的暴行を数年にわたって受けつづければ、こころに深い傷を負うのは当然だ。

いちばんの問題は、皇族やその関係者には、直接反論したり、裁判で名誉毀損を訴えることが事実上、封じられていることだ。これは反撃できない者を徹底的にいたぶるのと同じで、「集団リンチ」以外のなにものでもない。

さらにグロテスクなのは、「あんな男と結婚したら不幸になると、善意のアドバイスをしただけだ」などと述べる者がいることだ。そもそもなぜ、わずかな税金を払っているというだけで、見ず知らずの他人の恋愛や結婚に口出しする権利があるのか。自ら選んだわけでもない「身分」によって、どんな誹謗中傷にも耐えなくてはならないのなら、自由や人権、プライバシーの保護はどうなるのか。

哲学者サルトルは、「地獄とは、他人だ」と書いたが、彼女はまさに「善意の他人」という地獄を体験したことになる。

自尊心というのは、そのひと固有のパーソナリティというよりも、他者との関係性で決まるものだ。相手に対して圧倒的に優位なら、自尊心が傷つけられることはない。たいていの親が幼い子どもに反抗されてもなんとも思わないのは、大きなちからの差があるからだ。これが愛情の問題でないのは、思春期の子どもが反抗すると、（親の優位性が失われつつあるので）しばしば逆上することからもわかるだろう。

アメリカの白人は圧倒的なマジョリティだったので、有色人種（黒人）から批判されてもなんとも思わなかった。冷戦終結後のアメリカは唯一の超大国で、圧倒的な軍事力で世界に君臨していたので、反米運動にもさしたる関心はなかった。

近年、アメリカの人種問題が再燃しているのは、レイシズムが強まったというよりも（異論はあるだろうが、人種を理由にした犯罪は一貫して減少している）、白人（とりわけ労働者階級）の地位が低下して、優位性がなくなってきたからではないか。イラク・アフガニスタンでの無益な戦争や中国との対立も、アメリカの国力が落ちたことと関係しているだろう。――ロシアによるウクライナへの無謀な侵攻は、ソ連崩壊によって国際社会におけるロシアの優位性が危機に瀕したことを抜きにしては理解できない。

1970年代に田中角栄首相が東南アジアを歴訪したとき、各地で大規模な反日デモが起きたが、国内ではほとんど関心をもたれなかった。当時、アジアのなかで日本の経済力は圧倒的で、中国は文化大革命の混乱の真っ只中だし、軍事政権の韓国は世界の最貧国のひとつだった。多くの日本人は、「貧しい国のひとたちはかわいそう」と思っていたのだろう。

それがバブル崩壊後、日本経済が低迷する一方で、中国を筆頭にアジアの国々が高度経済成長の時代を迎え、日本との差が縮まってきた。いまや中国のGDPは日本の3倍で、国民のゆたかさの指標である1人あたりGDPでもマカオ、シンガポール、香港に大きく引き離され、韓国に並ばれようとしている。

その結果、（コロナ前は）日本の庶民には手の届かない名門ホテル・旅館や一流レストランにアジアの富裕層が殺到した。80年代は、ふつうのOL（死語）が週末の弾丸ツアーで香港に行き、五つ星ホテルに泊まってブランド物を買いあさっていたのだから、その栄枯盛衰には愕然とするしかない。

日本がどんどん「貧乏臭く」なっていく過程と、2000年以降の嫌韓・反中の排外主義の急速な広がりは見事に一致している。韓国や中国はそれ以前からずっと「反日」だったのだから、この変化は、「アジアで一番」という日本人の自尊心が揺らいだことでしか説明できない。

徹底的に社会的な動物である人間は、集団としての自尊心が低下すると攻撃的になるが、それと同様に、個人としての自尊心が揺らいだときもきわめて危険だ。経済格差が拡大すると、自分が虐げられていると感じる層が増えて、あちこちで怨恨（ルサンチマン）が噴出する。これは世界的な現象で、アメリカではトランプ現象を引き起こし、日本では「上級国民」批判となって表われた。母子が死亡した池袋の交通事故の炎上騒動はその典型だろう。

皇族の結婚問題にしても、ネットに掲載された記事へのコメントを見ると、その大半は「国民の税金で食わせてもらっているくせにわがままだ」という罵倒の類だ。これにもっとも近いのは、生活保護（ナマポ）受給者へのバッシングだ。

皇族とナマポに共通するのは、「働かずにうまいことやって暮らしている」ように見えることだ。それに比べて「下級国民」の自分は、不安定な身分とわずかな給料（あるいは年金）でかつかつの暮らしをしている。建前では「みんな平等」というけれど、生まれや制度の歪みによって、自分より恵まれている者がたくさんいるではないか、というわけだ。

脳は上方比較を「損失」、下方比較を「報酬」と感じるように進化の過程で設計されている。上位の者を引きずり下ろすことは、脳の報酬系を刺激し自尊心を高める効果がある。ワイドショーのコメンテーターといっしょに「義憤」に駆られ、ネットのコメント欄に皇族や婚約者母子への誹謗中傷を書き込むことは、ものすごく気分がいいのだろう。

キャンセルカルチャーは、セレブリティの不品行を「正義」の名の下にバッシングし、その地位を「キャンセルする（奪う）」運動だ。そう考えれば、いま起きているのは皇族に対するキャンセルだ。ネットでルサンチマンを噴出させている者たちが求めているのは、上級国民の特権の剝奪、すなわち天皇制廃止ということになる。

その一方で、皇室に「理想の家族」を求める高齢者層の批判には、（かつては「欠損家庭」といわれた）母子家庭への偏見が垣間見える。だが近代の市民社会で、「親の借金問題を子どもが解決しないと結婚が許されない」などということがあっていいはずがない。

王制や天皇制は、有り体にいえば「身分制」で、自由恋愛が当然とされるリベラルな社会ではきわめて不安定だ。ヨーロッパの王室もしばしばスキャンダルで炎上するが、アジアで孤立する天皇制は、それよりずっと脆弱だ。

皇室はいま、「わたしたちの夢を壊すな」という高齢者（および右翼・保守派）と、「特権は許さない」という「下級国民」からの激しい攻撃を浴びている。そしてこの風当たりは、今後ますます強くなっていくだろう。

〝平等〟な社会では「主権者」である市民が絶対化し、政治家や官僚など「権力者」の地位はすっかり地に落ちた。次は皇族の権威が引き下げられて、「国民の下僕」としてしか存在を許されなくなるかもしれない。

果たしてそのとき、天皇は「日本国の象徴」でいられるだろうか。

15 「子どもは純真」はほんとうか？

自尊心は、所属する集団から大きな影響を受ける。

野球やサッカーの熱狂的なファンは、「俺たちのチーム」が勝てば自尊心が高まって歓喜し、負けると自尊心が下がってときに激昂する。それと同時に、自分が属する集団を「善」、相手の集団を「悪」と見なす「善悪二元論」の強固なバイアスがある。人間は徹底的に社会的な動物なので、自尊心や自己肯定感は集団への帰属意識（アイデンティティ）と分かちがたく結びついている。

強い集団に属していると自尊心が高まり、弱い集団だと自尊心は低くなる。現代社会では、「白人／日本人」「男」「異性愛者」などがマジョリティ（強い集団）で、「黒人／外国人」「女」「同性愛者」などがマイノリティ（弱い集団）だ。

アメリカでは1930年代から、発達心理学者らが「子どもの（人種的）偏見」についてさまざまな方法で調べている。[11]

黒人と白人の人形を使ったテストでは、子どもたちに「どの人形を選びたい？」「良い人形はどれ？」「どれが悪者に見える？」「ステキな色の人形はどれ？」などと訊く。

就学前の子どもに黒人と白人の写真を見せ、「ここに二人の女の子がいます。一人は醜い少女です。人びとはその子を見たくありません。醜い女の子はどちら？」「ここに二人の男の子がいます。一人は親切な男の子です。ある時彼は湖で溺れている子猫を見つけ助けてあげました。その親切な男の子はどちら？」などと訊くテストもあった。

これらの調査が衝撃的だったのは、「子どもは純真」という神話が根底から覆されたからだ。

3歳を過ぎる頃になると、ほとんどの白人の子どもが黒人を「悪い」と見なし、否定的な感情をもち、「遊び友だちとして好まれることがいちばん少ない」と評価するようになる。白人の子どものこうした傾向は、アジア系やインディアン（アメリカ原住民）に対しても同じように見られる。

ただし、これが「人種的偏見」なのかは議論が分かれる。

幼児が肌の色で好き嫌いを決めるのは、自力で生きていくことができない「弱い」生き物だからだ。自分の世話をしてくれるのは親やきょうだい、いとこたちなのだから、身近にいる者を好きになり、似ていない者を警戒するプログラムが進化の過程で埋め込まれたというのは理にかなっている。そんな（白人の）子どもが善悪の観念をもつようになれば、「好き／嫌い」を「白人＝善／黒人＝悪」と重ね合わせるようになるのも不思議ではない。

「子どもの偏見」についての調査が大きな議論を呼んだのは、黒人の子どもたちについてはこの理屈では説明できない結果が示されたからだ。4～7歳までの黒人の子どもは、しばしば黒人よりも白人を好んだのだ。

イギリスにおける調査では、白人の3歳の子どもは75％の頻度で白人の人形と自分を同一化し、6～7歳までにほとんどの子どもが自集団（白人）に属しているという意識（人種アイデンティティ）をもつようになる。

だが3～5歳の黒人の子どもたちでは、白人の人形を選ぶか黒人の人形を選ぶかはほぼ半数で、6～7歳になっても黒人と同一化する割合は80％程度だった（年長の子どもたちの間でさえ90％を超えることはまれだ）。

6～7歳の子どもにクレヨンで人物を描かせると、白人の子どもたちは、黄もしくはピンクの肌色、ブロンドもしくは茶の髪を描いた。一方、黒人の子どもたちの44％は白人を描き、30％は人種があいまいで、黒人を描いた子どもは24％（4人に1人）だけだった。

さらに説明が困難なのは、黒人の人権を向上させる活動に熱心な家庭で育った黒人の子どもほど、白人に対してより強い好意を示したことだ。

なぜこんな不可解なことになるのか。これも、「子どもは弱い生き物」から説明できそうだ。

マジョリティの子どもたちは、自分に似た者に好意をもつことで生き延びることができる。だがマイノリティの子どもの場合、この単純な戦略がつねに成功するとはかぎらない。

子ども（とりわけ乳幼児）はとてつもなくひ弱で、弱い者を守ってくれるのは強い者だ。これが幼い子どもが親（父親）を尊敬し、スーパーヒーローに憧れる理由だが、だとすれば、階層化された社会では、マイノリティの子どもはより「強い」マジョリティの特徴に引き寄せられないだろうか。

子どもは弱いからこそ、〝ちから〟にものすごく敏感だ。アメリカでは、4歳を過ぎる頃になると、建前では「人種は平等」とされていても、保育園の先生からテレビの登場人物まで、あらゆるところで白人が指導的立場にいることに気づくようになる。このようにして、幼い黒人の子どもが白人の人形を手に取るようになるのだろう。

この（かなり不愉快な）仮説で、リベラルな黒人家庭の子どもがなぜより強く白人を好むのかも説明できる。こうした家庭では、親は子どもに、アメリカ社会は人種によって階層化されているが、それにもかかわらず黒人と白人は平等であるべきだと、幼いときから教えているはずだ。

だが認知能力に限界のある子どもにとって、「平等」を理解するのは困難だ。その結果、親の言葉のなかから「白人が黒人の上位にいる」という社会状況のみを取り出し、「正しい人種教育」をしていない黒人家庭の子どもよりも、白人に引き寄せられるようになるのだと考えられる。

「ジェンダー差別から解放された」家庭の年少の子どもたちが、逆に男女の性役割を積極的に受け入れるとの調査もある。この皮肉な現象も、「幼い子どもは〝権力〟に惹きつけられる」とすれば同様に理解可能だろう。子どもは親の言葉をそのまま受け入れるのではなく、自分が理解できるようにしか理解しないのだ。

こうした研究では、「黒人の子どもは白人の子どもより承認欲求が強い」という結果も出ている。こうした決めつけ自体が「偏見」と見なされるかもしれないが、これもマイノリティの自尊心が揺らいでいることから説明できそうだ。

ひとはどんなことをしてでも自尊心を高めたいと（無意識に）思っている。集団（共同体）がそれを与えてくれないのなら、自力で「承認」を獲得するしかない。——「女は男より承認欲求が強い」というかなり性差別的な主張も、同じ理屈で説明可能だろう。

発達心理学では、こうした「偏見」は教育によって7歳以降、弱まるとされているが、これがヒトの本性だとするならば、教育（説教）でなくなるとは考えにくい。より高度な認知能力と社会性を獲得した子どもたちは、たんに自分の「偏見」を上手に隠蔽する術を学習したのではないだろうか。

人種差別のような社会的に許容されない態度は抑制するものの、わたしたちはみな、いくつになっても「強い者」や「権力者」に惹きつけられる。この程度のことは、自分の周囲を見回せばすぐに気づくだろう。

16　いつも相手より有利でいたい

人間は本来、道徳的（利他的）なのか、それとも不道徳（利己的）なのか。この議論が紛糾するのは、生まれ（遺伝）と育ち（環境）の影響をうまく切り分けられないからだ。

だがこの困難は、生まれたばかりの赤ちゃんの道徳性を調べることでかなりの程度、クリアできる。生まれたばかりの赤ちゃんは、社会や文化の影響を（ほとんど）受けていないだろう。

とはいっても、指差しすらできない赤ちゃんの道徳意識をどうやって調べるのか？　じつはよい方法があって、赤ちゃんは興味があるものを長く見つめたり、手を伸ばしたりし、どうでもいいものはすぐに目を逸らすか無視する。

これを使った実験に、次のようなものがある。[12]

生後10カ月と1歳4カ月の子どもに、ライオンとクマが、ロバとウシにカラフルなコインを配る人形劇を見せた。ライオンはロバとウシにコインを1枚ずつ配り、クマはコインを2枚ともロバに与え、ウシにはなにも与えなかった。そのあと、子どもたちにライオンとクマの人形を示したところ、10カ月児の反応はバラバラだったが、1歳4カ月児は公平な分配者であるライオンに手を伸ばした。

別の実験では、1歳7カ月児に、オモチャで遊んでいた2人の子どもが大人に「お片づけしなさい」といわれる場面を見せた。そのあとで、大人は2人に平等にご褒美をあげるか、1人にだけ与えた。

2人がそろって片づけをした場合、幼児たちは、1人だけご褒美をもらった場面のほうを長く見つめた。これは予想（2人は平等にご褒美をもらえるだろう）とは異なることが起きたからだ。

ところが、1人が全部片づけをして、もう1人がずるをして遊びつづけていたときは、大人が2人に平等に報酬を与えたときのほうが、見つめる時間が長かった。これは、不平等な労働に対しては不平等な報酬（頑張った者がより多くもらうべきだ）を予想していたからだろう。

赤ちゃんは、2歳になる前から「平等主義者」で、かつ「成果主義」の支持者なのだ。

これらの実験からは、平等や公平などの「正義」は、社会的に学習する以前に、脳のプログラムとしてあらかじめ埋め込まれているらしいことがわかる。チンパンジーにも

「公平」の概念がある（同じ立場の相手だけがバナナなどの報酬をもらうとはげしく抗議する）のだから、これはけっして奇異なことではない。

ここまではよい話だが、より成長した子どもの道徳意識を調べると、すこしちがう結果になる。

同じ保育園に通う3〜5歳児をペアにして、次のような実験が行なわれた。ここでは被験者をメアリーとサリーとしよう。

積み木遊びをしたあと、メアリーとサリーで積み木を片づけるとご褒美のステッカーをもらえる。ステッカーは6枚で、実験者は「メアリー1枚」「サリー1枚」「メアリー1枚」「サリー1枚」「メアリー1枚」「メアリー1枚」と渡していく。——ステッカーの合計はサリーが2枚、メアリーが4枚になる。

ここで実験者は、7秒間、間を置く。（損をした）サリー役の子どもたちは、多くが「ずるい」と抗議し、メアリーと同じだけステッカーをちょうだいとせがんだ。

それに対して（得をした）メアリー役の子どもたちは、質問されれば、ほとんどが分配は不公平だと認めたが、そのことをさして気にしていなかった。サリー役の子どもから文句をいわれてステッカー1枚を譲った子どもは、同じ保育園の友だちであるにもかかわらず、10人に1人もいなかった。

ここからわかるのは、子どもたちは不公平に敏感だが、それを意識するのは、自分の取り分が他の子より少ない（損をした）ときだけだということだ。

初対面の4歳から8歳の子どものペアが参加した別の実験では、ペアの片方の子どもがレバーの操作で2枚の皿を動かす。この操作によって、自分と相手の手元にそれぞれの皿を届けるか、途中で中身を捨てるかを選択できる。2枚の皿には何個かのアメが載っていて、ちゃんと届ければ2人ともアメを手にできるが、中身を捨てると2人ともなにももらえない。

どちらの皿にも同じ数のアメが載っているときと、分配が自分に有利なときは、操作者の子どもは中身を捨てたりしない。ところが分配が逆になって相手の子に有利だと、どの年齢でも、かなりの確率で皿の中身を両方とも捨てる選択をした。子どもは、見ず知らずの子が自分より多くのアメを手に入れるくらいなら、なにももらわない方がましだと考えるのだ。

5歳から10歳の子どもたちが、今後知り合う予定のない子どもとオモチャの引換券を分配する実験では、「どちらも1枚ずつ引換券をもらえる」と「自分が2枚で相手が3

枚もらえる」を選択できた。

当然のことながら、引換券1枚よりも2枚の方が有利だ。ところが多くの子どもが、引換券を1枚しかもらえない1対1の分配を選んだ。

次に、「2人とも2枚ずつ引換券をもらえる」と「自分は1枚で相手はなにももらえない」を選択させた。この条件では、年上の子は2対2の分配を選んだが、5歳児と6歳児は1対0の選択肢を好んだ。幼い子どもは代償を払ってでも、自分が相対的に得をするほうを選ぶのだ。

ここから、子どもにとって重要なのは絶対的な損得（経済合理性）ではなく、相対的な損得（進化的合理性）であることがわかる。なぜこんなことになるかは、わたしたちの祖先がグローバルな市場取引の世界ではなく、最大で150人程度の濃密な共同体のなかで暮らしていたことから説明できるだろう。

仲間たちと、地位や性愛をめぐって競争している状況を考えてみよう。このとき、自分が10枚の金貨をもっていても、相手が11枚なら自分の方が地位が低くなってしまう。

ところがここで、自分が9枚の金貨を失い、相手が11枚失う選択があったとしよう。こんな大損する取引はバカバカしいだけだが、それによって自分の金貨は1枚、相手はゼロで地位が逆転する。

この単純な例から、なぜ幼い子どもが相対的な損得を重視するのかがわかる。地位をめぐる競争では――その社会が生存に必要な水準を満たしているのであれば――絶対的な利益にたいした意味はない。子どもたちの不合理な反応は、認知能力が発達していないからではなく、（おそらくは）遺伝的にプログラミングされたヒトの本性なのだ。

それが成長するにつれて、絶対的な損得を計算して、より合理的な選択ができるようになる。それでも「お互いが平等」が限界で、「相手が有利（自分が不利）」になる選択には大きな抵抗があるようだ。

これは幼児の話だが、大人でも同じではないか。すくなくとも、利益を生む提案を理不尽な上司に握りつぶされた苦い経験があるひとは、このことがよくわかるだろう。

17　非モテ男と高学歴女が対立する理由

ヒトは自分が所属する集団を一番にしようとする（天下統一）と同時に、その集団のなかで自分が一番になろうとする（下剋上）複雑なゲームをしている。もちろん誰もが王になれるわけではないから、上位の者に服従し、下位の者を統率する中間管理職的な役割にも適応しなくてはならない。

これは戦国時代劇などで繰り返し描かれてきた男中心のモデルで、女の場合は徒党を組むより一対一の関係（女友だち）を重視するとか、明示的なヒエラルキーをつくらないなど、集団形成のしかたが異なることが近年ようやく研究されるようになった。とはいえ、所属する集団の勢力と、その集団内の地位が死活的に重要なのは男も女も同じだ。

なぜこのような「競争」が脳にプログラムされたのかは、進化論で明快に説明できる。集団同士の抗争に敗れれば、男は皆殺しにされ、女は子どもを奪われ凌辱される。これは「利己的な遺伝子」にとって許容しがたい損失（コスト）なので、どんなことをしててでも集団を防衛し、敵を殲滅しようとする本能が埋め込まれたのは当然だ。

それと同時に、集団内で高い地位にある者は、より条件のいい性愛（男にとっては複数の若い女。女にとっては、より多くの資源を提供してくれる男）を獲得できる。これは自らの遺伝子を後世に残すのに有利なので、地位をめぐる競争が激化する。

アイデンティティ（自尊心／自己肯定感）は、自分が属している集団と、集団内の地位によって決まる。ここから、次のようなシンプルな社会モデルができる。

まず、マジョリティ（多数派）とマイノリティ（少数派）の2つの集団に社会を分割しよう。一般的には、マジョリティ（強い集団）のメンバーは自尊心が高く、マイノリティ（弱い集団）のメンバーは自尊心が低い。いったん戦争になれば皆殺しにされてしまうのだから、弱い集団は強い集団に従属する以外に選択肢はないのだ。

そのうえで、それぞれの集団は地位によって階層化されていて、2割が上位層と下位層、6割が中間層としよう。ここで中間層（穏健派）を脇に置いておくと、「マジョリティの上位層／下位層」「マイノリティの上位層／下位層」という4つの特徴的なグループができる。

1970年代のアメリカで行なわれた研究では、白人（マジョリティ）と黒人（マイノリティ）の被験者に対して、それぞれの人種に対する肯定的な評価と否定的な評価が伝えられた。――白人に対しては「世界最強の国家をつくりあげた／いまだに黒人を差別している」、黒人に対しては「音楽やスポーツで華々しい成果をあげた／白人に比べて犯罪率が際立って高い」とか。[13]

そのうえで研究者は、こうした評価が自尊心にどのような影響を与えるかを調べた。

白人に対する肯定的な評価は、地位の高い白人よりも低い白人に大きな影響を与えた。同様に地位の低い白人は、否定的な評価に対して強く反発した。

「誰もが死に物狂いで自尊心を引き上げようとしている」とすれば、この結果は当然だ。社会的・経済的に成功している白人は、自らのちからで高い自尊心を獲得したと思っているので、人種への否定的評価にさして影響されず、より客観的に事実を受け入れることができる。それに対して地位の低い白人は、自尊心を高めてくれる（人種に対する）肯定的評価を歓迎し、自尊心を低める否定的評価を拒絶する。

このことは、民主党を支持するのがウォール街やシリコンバレーのリベラルなエリート層で、トランプの岩盤支持層である「白人至上主義者」が、中西部のラストベルト（錆びた地域）でドラッグ、アルコール、自殺で「絶望死」している状況をうまく説明する。世界を驚かせた連邦議会議事堂襲撃事件は、「アメリカはディープステイト（闇の政府）に支配されている」と信じる陰謀論者の錯乱ではなく、アイデンティティをめぐる闘争だったのだ。

より興味深いのは、マイノリティ集団と自尊心の関係だ。

黒人に対する肯定的な評価は、地位の低い黒人よりも高い黒人に大きな影響を与えた。それに加えて地位の高い黒人は、否定的な評価にも強く反発したのだ。

なぜこのようなことになるかというと、自尊心の低い黒人は、もともと自集団への評価も低いので、ネガティブなコメント（「黒人の犯罪率は顕著に高い」など）を「当然のこと」「しかたない」と受け入れるからららしい。それに対して自尊心の高い黒人は、自集団にも高い評価を期待するので、ネガティブなコメントに強く反応し拒絶するのだろう。

マジョリティとマイノリティで地位と自尊心の関係が逆転するというこの研究は、近年、日本や世界で起きている社会的混乱を考えるうえできわめて示唆的だ。

アメリカ社会のマジョリティは白人だが、知識社会に適応した「リベラル（高学歴）」と、市場競争から脱落して仕事と尊厳を失った「保守派（ワーキングクラス）」に分断されている。マイノリティの黒人も同様に、教育機会が広まったことで、学歴によって階層化されている。その結果、自尊心が揺らいでいる（地位の低い）白人ブルーワーカーと、自らの高い自尊心に見合った集団への尊厳を求める（地位の高い）黒人アクティビストが、アイデンティティをめぐって衝突するのだ。

日本で目立つようになったジェンダーをめぐる争いでも、同様の説明が可能だ。マジョリティ（男集団）のなかで満足な性愛を獲得した自尊心の高い男（モテ）は、女性の社会進出に賛同するリベラルな「イクメン」になり、恋愛の自由市場から排除された自尊心の低い男（非モテ）は、（男という）ジェンダーアイデンティティに過剰に自己同一化し、それを脅かす「フェミニズム」を脅威とみなす。

その一方で、マイノリティ（女集団）のなかで自尊心の低い女は、性役割分業を受け入れる専業主婦になり、夫の地位や収入を自らのアイデンティティにする（「貧しくても家庭があれば幸せ」と考える「貧困専業主婦」になることもある）。それに対して自尊心の高い女は、男女平等を目指す積極的な活動家（フェミニスト）になり、ジェンダー差別を容認するような発言や表現を糾弾し、（自尊心の低い）「アンチ・フェミ」の男と衝突するのだ。

この研究では、自尊心が不安定な黒人の子どもは、自尊心が安定している白人の子どもより強い承認欲求をもつことも示されている。これは、低い自尊心を埋め合わせるために、無意識のうちにより大きな承認を求めるからだと説明される。

女の子は男の子より強い承認欲求をもち、それがＳＮＳへの過剰な依存や拒食症・過食嘔吐につながるとされる。アダルトビデオに積極的に出演する若い女性が多数いることも、（マイノリティである）女性の自尊心が低いことから説明できるかもしれない。

とはいえ、この話はかなり「言ってはいけない」領域に近づいているので、このくらいにしておこう。

18　ほめて伸ばそうとすると落第する

現代社会では、「自尊心」や「自己肯定感」が重要だとされている。さまざまな調査で、自尊心が高いと社会的・経済的に成功し、健康で幸福度が高く、自尊心が低いと逆の結果になる（貧乏で不健康で早死にする）ことがわかったからだ。

「高い自尊心があればなにもかもうまくいき、低い自尊心ではすべてがうまくいかない」という話が1970年代に広まると、アメリカ社会に空前の「自尊心ブーム」が起こった。その結果、教育現場では「子どもはほめて育てるべきだ」「批判は自尊心を傷つけるから避けなければならない」「クラスでの競争は自尊心のない敗者をつくる」などといった説が大真面目に唱えられた。——こうした教育法はやがて日本にも導入された。

だがその後、通説に異を唱える研究が次々と発表されるようになった。「自尊心を高める」教育をしても、思ったような効果が出なかったのだ。

決定的なのは2003年、自らも自尊心の重要性を信じていた心理学者のロイ・バウマイスターが、自尊心と子どもの成長の関係を調べようと1万5000件もの研究をレビューし、予想に反して「自尊心を養っても学業やキャリアが向上することはなく、それ以外でもなんらポジティブな効果はない」という決定的な事実を発見したことだった。他の研究者による検証でも同様の結果が出たことで、現在では(すくなくともまともな)心理学者は、「自尊心を伸ばす教育が子どもの成長に重要だ」と主張することはなくなった[14]。

この問題が難しいのは、そもそも「自尊心」とは何なのかがよくわからないことだ。一般的には、「あなたは価値のある人間ですか?」「学校や職場でうまくやっていますか?」「みんなから好かれていますか?」などの質問で自尊心を計測する。だがこれは主観的な評価で、うぬぼれや優越感だらけのナルシシストや、誇大妄想に支配された躁病患者もきわめて高い自尊心を示すだろう。

そこで研究者は、自尊心を客観的な指標と比較しようとした。重要なのは(主観的に)高い自尊心をもつことではなく、それが結果に結びつくかどうかなのだ。

高い自尊心の効果は、「自己充足的予言」で説明される。1960年代に行なわれた有名な実験では、無作為に選んだ小学生を「成績が伸びる子」だと担任に伝えたところ、実際に成績が向上した。これは先生の期待（この子は優秀だ）が暗黙のうちに本人に伝わったからだとされ、「ピグマリオン効果」と呼ばれた。

予言が自己実現するのなら、「自分は優秀だ」と思っている自尊心の高い生徒は、そうでない生徒よりも成績がいいはずだ。これは簡単に調べられるので、70年代から多くの研究が行なわれた。

その結果はというと、奇妙なことに、「学業成績は自尊心の高さでほぼ説明できる」から、「自尊心の低い子どもの方が成績がいい」まで大きくばらついた。

それでも平均すると、自尊心の高さは成績にわずかに相関していたが、その効果も社会経済的地位や知能（IQ）を統制すると消えてしまった。これをわかりやすくいうと、「恵まれた家庭に生まれ育った賢い子どもは、学校でうまくやっていけるので、成績もよく自尊心も高い」のだ。

このようにして、「自尊心は原因ではなく結果」だという当たり前のことが〝科学的〟に証明された。自尊心が高いと学業成績がよくなるのではなく、テストでよい点数をとることで自尊心が高まるのだ。

だがこれは、「不都合な事実」の半分でしかない。「ほめて伸ばす（自尊心を高める）」子育てや教育は、意味がないばかりか有害である可能性がある。

1999年の実験では、学期の最初の試験の成績がC、D、Fだった大学生をランダムに3つのグループに分けた。Cは及第点、DとFは赤点だ。

成績がいまひとつだった学生たちには、教授から、その週の課題の復習問題が毎週メールで送られた。そのとき、一つのグループは自己管理と責任を強調するメッセージ（「きちんと計画を立てて勉強しなさい」）が、もう一つのグループは、自尊心を高めるメッセージ（「君ならやればできる」）がそのメールに加えられた（残りの一つは対照群で、復習問題だけが送られた）。

教授によるはげましの有無は、成績がC（ぎりぎり及第）の学生には影響がなかった。だがDとFの学生にははっきりとした効果があった。

より正確には、自己管理を促すメールは、なにもしないのと違いはなかった。だが自尊心を高めるメッセージは、次の試験の成績をさらに悪くして落第必至にしてしまったのだ。

なぜこんなことになってしまうのか。研究者はその理由を、「自尊心は報酬だから」

と説明する。頑張って勉強して、よい点数をとって教授からほめられることで自尊心が高まる。だが試験を受ける前から教授にほめられると（「君は本来、優秀なんだ」）、報酬を先に受け取ることになるので、努力しなくなってしまうというのだ。

50メートル走で最下位だった子どもに1位のトロフィーを渡しても足が速くなるわけではない。「ほめて伸ばす」という教育方針のバカバカしさはこれに似ている。

では、自尊心はなんの役にもたたないのだろうか。じつはそんなことはなくて、自尊心と「タスクの持続性」が関係していることがわかっている。自尊心が高いと、失敗に直面しても粘り強く続けることができる。

しかしそれと同時に、自尊心が高いとあきらめが早いという研究もある。「問題のなかには解けないものも含まれている」と伝えると、自尊心が高い被験者はあまり頑張ろうとしなくなったが、自尊心が低いと影響がなかった。

とはいえ、自尊心が高い者が指示に従いやすいわけでもない。難しい問題に対して、研究者が「もうやめた方がいい」か「頑張って続けてみて」かを伝えたときは、自尊心の低い被験者はアドバイスに従ったが、自尊心が高い者はそれを無視した。

こうした一見矛盾した結果は、自尊心が高いと、ものごとに楽観的で「我が道を行く」タイプになると考えれば理解できる。難しい問題でも「解けるはずだ」と楽観的になって頑張るが、「解けないかも」といわれるとさっさとあきらめ、他人のアドバイスはあまり聞かない。それに対して自尊心が低いと、「自分には解けない」と悲観的になるが、あきらめる決断もできずにぐずぐずし、目上の者に依存しがちになる。

これは自尊心をうまく説明しているように思えるが、自尊心が高い方がいいとはやはりいえない。

自尊心が高いと浮気や離婚が多い（関係を続けるよりも別の相手を探す）とか、ジコチューでまわりに気を使わずに嫌われるなど、マイナスの効果も明らかになっている。

以上をまとめると、「自尊心が高くてもなにもかもうまくいくわけではなく、教育や子育てで自尊心を高めようとすると、かえってヒドいことになる」という話になるようだ。

19　美男・美女は幸福じゃない？

ＳＮＳにあふれる自撮りを見ればわかるように、現代社会において、外見の魅力はとてつもなく大きな価値がある。「美男／美女は自尊心が高く、幸福度も高い」というのは、議論の余地のない真実だとされている。

「自尊心が高いと幸福度も高い」は、大量の研究によって実証されている。だがこれは、「自尊心を高めれば幸福になれる」のではなく、「幸福だと自尊心（自己肯定感）も高くなる」という逆の因果関係のようだ。

では、魅力的な外見だと幸福度も高くなるのだろうか。アメリカの心理学者エド・ディーナーらは、これを実際に調べてみた。

参加者はイリノイ大学の白人学生約２００人（男女ほぼ同数）で、幸福度を測るテストを受けた後、自分が魅力的かどうかを「１（とても悪い）」から「10（とてもよい）」までの10段階で評価してもらった。[15]

次に、正面と横顔の写真と、見知らぬひとと話している動画を撮影した。写真は、メイクやファッションのわかるものと、すっぴんを、笑顔のあるなしのそれぞれ2種類ずつ用意した。すっぴんでは、楕円形にくりぬいたダンボールから顔だけ出し、髪型もわからないようにした。

こうして準備が整うと、写真やビデオで外見の魅力を第三者が評価した。それに加えて、被験者の家族や友人など最低3名が、本人がどの程度魅力的かを、平均的な大学生と比較して10段階で評価した。

この作業でわかったのは、3種類の評価素材の相関が高いことだ。「正面の写真が魅力的なら横顔も魅力的で、動画も魅力的（逆もまた真）」だった。――ただし、動画は静止画より魅力度が上がった。

それに加えて、客観的な魅力度評価は2・33から7・05のあいだでばらついた。第三者の目からは、外見の魅力度にはかなり大きなちがいがあるのだ。

ここまでは「そんなの当たり前だ」という話だが、外見の魅力と幸福度の関係はどうだろうか。意外なことに、その結果は一般に思われているのとはかなりちがっていた。

幸福度は、「生活満足度」「全体的な幸福感」「ポジティブ感情（『喜び／愛情』などのポジティブな感情の平均から、『怒り／悲しみ』などネガティブな感情を差し引いた値）」の三つが計測された。

奇妙なことに、女子学生では外見の魅力と幸福度はなんの関係もなかった。統計的に有意ではないものの、「全体的な幸福感」は「魅力的なほど低くなる」という逆の結果になった。「美人は不幸」とまではいえないが、けっして「幸福」ではないのだ。

それに対して男子学生は、「生活満足度」のみ、外見が魅力的なほど高くなったが、残りの二つはほとんど影響がなかった。美男子だからといって、「全体的な幸福感」や「ポジティブ感情」が高くなるわけではないようだ。――ただし例外が一つあって、男でも女でも、「魅力的であることが重要だ」と思っている学生は外見が幸福度に影響していた。

その一方で、すべての幸福度に一定の影響を及ぼす指標が一つあった。それは「主観的な魅力度」だ。客観的な評価はどうであれ、自分のことを「魅力的だ」と思っている学生は、男でも女でも幸福度が高かった。

家族や友人などが被験者の知能やコミュ力、恋愛関係や自信などを評価したが、これも魅力度との関係はほとんど見られなかった。相手のことをよく知っていると、外見を評価の基準にしなくなるようだ。

「ルックスと恋愛が無関係なんて信じられない」と思うだろう。そこで研究者は、外見の魅力度を上位4分の1（美男美女）と下位4分の1に分けて、幸福度とデートの回数を調べてみた。

幸福度については、外見にかなりの差があっても、やはり同じ結果になった（統計的に有意ではないものの、女子学生では、外見の魅力がない方が幸福度が高かった）。一方、デートの回数には男女差があって、女性ではたしかに魅力的な方がデートしていたが、男性ではほとんどちがいがなかった。

この奇妙な現象を解明すべく、研究者はさらに、幸福度の上位4分の1と下位4分の1の学生を比較してみた。すると男子学生も女子学生も、幸福度が高い方がデートの回数が多いことがわかった。

これにはいくつかの説明が可能だ。

一つは、同じ顔写真を見ても、あるひとは「魅力的」と思い、別のひとは「そうでもない」と思うこと。主観的な評価にはかなりの多様性があり、これによって、平均的には魅力度の低い学生も、「美男／美女」とさほど変わらない頻度でデートできるのだろう。――男子学生の場合、外見より運動能力やコミュ力（面白さ）のような別の指標で評価されているのかもしれない。

もう一つは、「幸福なひとほど魅力的で恋愛にも積極的」という逆の因果関係がある可能性だ。女子学生では、外見の評価が一致する割合は、すっぴんより化粧をしたときの方がずっと高かった（化粧をすると魅力度が上がるが、すっぴんだと美人かどうかの評価が分かれた）。「美人だから幸福度が高い」のではなく、「幸福度が高いと、自分を魅力的に見せようとする」らしい。

「美男／美女は幸福でもなければ、自尊心が高いわけでもない」というのは世間の常識と大きく異なるが、「ヒトはよいことにも悪いことにも慣れてしまう」と考えれば、この結果は不思議でも何でもない。

宝くじで大金が当たれば天にも昇る心地になり、交通事故で脊髄を損傷し、両足が動かなくなれば絶望に打ちひしがれるだろう。だが研究者が幸運なひとと不幸なひとのその後を調べると、どちらの場合も、元の幸福度に戻っていることがわかった。

宝くじに当たっても、いいことばかりではない。アメリカでは当せん者が大きく報じられるので、これまでつき合いのなかった親戚や友人・知人などからカネを無心され、人間関係が壊れることがよくある。

脊髄損傷の患者の場合は、家族や友人から「あんな大事故で生命があったのは奇跡だ」などといわれ、車椅子で自由に動けるようになる頃には、自分は運がよかったとポジティブに思えるようになるらしい。

ここから研究者は、「幸福度のレベル（『楽観的／悲観的』などのパーソナリティ）は生得的に決まっていて、人生にはよいときも悪いときもあるが、長期的には一人ひとりの固有の水準に収斂していく」と考えるようになった。

外見は子どもの頃からほとんど変わらないから、絶世の美男／美女であっても、とうに自分の容姿に慣れている。外見が主観的な幸福度に影響しないのは当たり前なのだ。

とはいえこれは、「魅力的であってもなにもいいことはない」ということではない。外見の金銭的な価値を試算した経済学者によれば、美人は平均より8％収入が多く、不美人は4％少ない（男の場合は、美男は4％収入が多く、〝不美男〟は13％も少ない）という。

一般に思われているように、外見が魅力的だとさまざまな場面で得をする。だが本人たちは、それが日常なので、いちいち自分が幸福だとは思わないらしい。

20 自尊心が打ち砕かれたとき

「自尊心が高いとなにもかもうまくいく」「自尊心が低いとなにをやってもうまくいかない」という〝常識〟にはエビデンスがない。自尊心についての大量の研究が明らかにしたのは、「うまくいくと自尊心が高まり、うまくいかないと自尊心が低くなる」という身も蓋もない事実だ。自尊心が他者の評価の反映だと考えれば、これは当たり前の話でもある。

もちろん、自尊心に個人差があるのは間違いない。自尊心は、「あなたはクラスで優秀な方だと思いますか?」などの定型化された質問で評価されるが、同じ学業成績でも主観的な自尊心はかなりちがっている。困るのは、それが他人からはよくわからないことだ。

あなたは、自分が自尊心が高いか低いかを知っているはずだ。しかし、身近なひと(学校の同級生や会社の同僚、あるいは家族)の自尊心が高いのか低いのか、自信をもっていうことができるだろうか。

主観的な自尊心を客観的に知ることが難しいのは、１９８０年代から知られていた。自尊心が高いと「自分には高い社会的スキルが備わっている」と考えるが、周囲の者はそのスキルを容易に見分けることができない。被験者を同世代の異性と会話させる実験では、自尊心が高いと「自分は好かれているはずだ」と考え、低いと逆になるが、実際にはパートナーの評価にちがいはなかった。――ただし自尊心が低いと、「自分は好かれていない」という相手の評価をより正確に予測した。

だとしたら、自尊心はたんなる思い込みに過ぎないのだろうか。

アメリカの心理学者ボスとヘザートンは、通常の会話では自尊心の高低がわからないとしても、脅威にさらされると、そのちがいが行動に表われるのではないかと考えた。そこで被験者（心理学を学ぶ大学生）の自尊心を意図的に揺るがせて、なにが起きるかを調べてみた[16]。

この実験では、標準的な質問で被験者の自尊心を測ったあと、制限時間4分の知能テストを受けさせた。テストは難しく、参加者の平均得点は12点満点中1点だった。時間になると被験者は試験官に答案を提出し、その場で採点された。試験官は不正解に赤ペンでバツ印をつけ、点数の低さに驚いたような顔をすると、「正解を見てください」と解答を置いて席を立った。そこには、他の学生の平均得点が9点だという（ニセの）資料が添えられていた。

被験者は、このテストは学業成績や将来の年収などを予測するものだと告げられた。かわいそうな学生たちは、「自分は優秀だ」という自信を粉々に打ち砕かれてしまったのだ（対照群の学生は、たんなるパイロットテストだといわれた）。

こうして準備が整うと、研究者は（自我が揺らいだ）学生に、「これからあなたの適性を調べるコンピュータ検査を行ないますが、時間制限があるため、すべてに答えることはできません。ここからあなたが知りたいことを選んでください」と、10項目のリストを渡した。

リストのうち3つは、「どのような職業で将来活躍できるか」といった〝能力〟に関するもの、3つは「他のひとはあなたをどう見ているのか」など〝対人関係〟に関するもの、残りの4つは「音楽やスポーツの適性は？」のような雑多な分野だ。

興味深いことに、最初の標準的な質問で自尊心の高かった学生と、低かった学生とで、テストのあとの関心がはっきり分かれた。前者は自分の能力についての適性を、後者は対人関係についての適性を知りたがったのだ。

研究者はこれを、自我が脅威にさらされたときの対処法が異なるからだと考えた。わたしたちはみな、高精度の「自尊心メーター」をもっていて、（無意識のうちに）自尊心を高く保とうと死に物狂いの努力をしている。自尊心が下がるような出来事に遭遇すれば、なんとかして失ったものを回復させなければならない。

このとき、もともとの自尊心が高い学生は、「どうすれば自分の能力をもっと発揮できるようになるか」に関心をもった。それに対してもともと自尊心が低い学生は、「どうすればもっと他人から好かれるのか」を考えたのだ（自我が脅威にさらされていない対照群の学生には、こうしたちがいは見られなかった）。

ここから、自尊心の高低は個人主義と集団主義に関係していることがわかる。自尊心の高い学生は自分の能力を活かすことで、自尊心の低い学生は対人関係のスキルを磨くことで、〝危機〟を乗り越えようとするのだ。

この仮説を確認するために研究者は、自我に脅威を与えられた被験者を別の学生と議論させてみた。すると、自尊心の高い学生の好感度は低くなり、自尊心の低い学生の好感度は高くなった（自我に脅威を与えられていない場合、両者の好感度にちがいはなかった）。

傷ついた自尊心を「能力」によって回復させようとした個人主義者は、他の学生から「傲慢」「無礼」「非協力的」などと見られた。それに対して、「対人関係」で傷ついた自尊心を回復させようとした集団主義者は、「正直」「控えめ」「温和」などと思われたのだ。

この結果を受けて研究者たちは、個人主義的な文化では自尊心が高いことが評価されるが、集団主義的な文化では、周囲とうまくやっていくことが重要なので、それが自尊心に反映されるのではないかと述べている。このようにして、アメリカのような個人主義的な文化で自尊心が高くなり、日本のような集団主義的な文化で自尊心が低くなるというのだ。

実際、さまざまな国際比較で、日本人の自尊心（自己肯定感）がきわめて低いことが繰り返し示されている。日本、アメリカ、中国、韓国の高校生に「人並みの能力があると思うか？」と訊いた調査では、「とてもそう思う」「まあそう思う」と答えた割合は日本が最低だった（もっとも高いのは中国とアメリカ）。

同調圧力の強い日本では、「空気」を読むために、つねに周囲の反応を気にしていなければならない。ところが自尊心が高いと、誰かから批判されるなど自我が脅威にさらされたとき、無意識のうちに傲慢に振る舞ってしまう。こうしたKY（空気が読めない）はムラ社会から排除され、遺伝子を後世に残すことができなかったので、日本には自尊心の低い者しか残らなかった……。

この仮説はそれなりの説得力があるが、話が出来すぎているようにも感じられる。所属する集団や生まれた国によって、自尊心が高いか低いかが自動的に決まるのだろうか。

生きていくうえで、個人の能力も、他者と協調することもどちらも重要だ。無能な人間と同じく、誰ともうまくやっていくことができない人間も、困難な人生を歩むことになるのは間違いない。

とはいえ、主観的な自尊心によって危機への対処法が異なるというのは興味深い。今度から、学校や会社で周囲のひとたちが、自我が脅かされた状況でどのように行動するかを観察してみよう。思わぬ発見があるかもしれない。

21　日本人の潜在的自尊心は高かった

わたしたちはみな高感度の「自尊心メーター」を備えていて、その針が下がると大音量で警報が鳴り、なんとしてでも元の位置まで自尊心を戻そうとする。

自尊心を回復するには他者の評価を獲得しなければならないが、その方法はひとによって異なるらしい。もともと自尊心が高い者は自らの能力を誇示しようとし、逆に自尊心の低かった者は、周囲に同調することで失われた自信を取り戻そうとする。

ここから、「自尊心が高い＝個人主義的」「自尊心が低い＝集団主義的」という議論になって、前者の典型が（傲慢な）アメリカ人、後者が（控えめな）日本人に割り当てられる。

実際、さまざまな国際比較で日本人の自尊心（自己肯定感）がきわめて低いことがわかっているから、この理屈には説得力がある。だがそうなると、自尊心はヒト集団で遺伝するのだろうか。

「アメリカ人は生得的に自尊心が高く、日本人は遺伝によって自尊心が低い」というのは、そうかもしれないと思うものの、どこかうさん臭くもある。

問題は、自尊心の定義があいまいなことだ。主要なパーソナリティ（ビッグファイブ）は、いまではかなりのところまで生理学的に説明できるようになった。たとえば共感力には、脳内伝達物質のオキシトシンがかかわっていて、血液検査でオキシトシンのレベルを計測することで共感力の高低が判断できる。それに対して自尊心は、いまだに「あなたは自分に自信がありますか」と訊いているだけなのだ。

だとしたら、アメリカ人はこの質問に自信をもって「イエス」と答え、日本人は「そこまではいえないなあ」と躊躇するという文化のちがいかもしれない。

IAT（潜在連合テスト）は無意識（潜在意識）の傾向を〝見える化〟する画期的な方法で、ステレオタイプ（偏見）を調べるために開発された。

「私は人種差別などしない」と主張するひとでも、無意識のうちに「黒人」と「犯罪」を結びつけているかもしれない。その場合は、黒人の顔写真と銃の写真を同時に示したときの反応速度は、「白人と銃」や「黒人と花」よりも短くなるはずだ。

そして実際にやってみると、ほとんどのアメリカ人が、黒人に対するネガティブなステレオタイプをもっていることがわかった。

しかしこれは、「白人はみんな人種差別主義者だ」ということではない。なぜなら黒人の被験者も、黒人の顔と銃をより速く結びつけたのだ（なぜこうなるかについては26章で検討する）。

IATを開発したアメリカの心理学者アンソニー・グリーンワルドは、日本や中国の研究者らとともに、各国の大学生（東大、ハーバード大、華東師範大など）の顕在的自尊心と潜在的自尊心を調べた。[17]

パソコンの画面に「恋人」「友だち」「楽しい」のようなポジティブな言葉と、「仕事のミス」「孤独」「病気」などのネガティブな言葉をランダムに表示する。それと、自分や他者に関連した言葉（姓名、出身地、誕生日）を結びつける反応時間を計測することで、ほんとうは自分のことをどう思っているか知ることができる（自分をポジティブな言葉に結びつければ「潜在的自尊心」が高く、ネガティブな言葉に結びつければ、表向きどうであれ自尊心が低い）。

日本、アメリカ、中国の大学生を対象に、顕在的自尊心と潜在的自尊心を比較したこの研究はとても興味深い結果を示した。

アンケートによる顕在的（主観的）自尊心では、アメリカと中国の大学生がきわめて高く、日本の大学生は極端に低かった。ここまでは従来の常識どおりだ。

ところが、親友と比べた潜在的自尊心（オレ／わたしの方がイケてる）をＩＡＴで調べると、３カ国の差はほとんどなくなった（日本の大学生はアメリカより低いが中国より高い）。

さらに驚くのは、内集団（オレたち）のなかの潜在的自尊心（このグループのなかで自分がいちばんイケてる）で、これをＩＡＴで調べたところ、日本の大学生の自尊心は、アメリカや中国をひき離して圧倒的に高かったのだ。

この奇妙な結果は、どのように理解すればいいのだろうか。

これは、べつに難しい話でもなんでもない。日本の学校は同調圧力がきわめて高く、うかつに自慢すると叩かれるので、大学生たちは、自尊心を低く見せておいた方がいいと（無意識に）知っている。それに対して中国は、アメリカと同様に、自信を前面に出してもよい社会のようだ。

しかしその一方で、参加したのは一流大学の学生だから、彼ら／彼女たちは、内心ではきわめて高い自尊心をもっている（まわりを見下し、バカにしている）。だから、顕在的自尊心が低く、潜在的自尊心が高くなるのだ。

この研究から、自尊心がどういうものかをより深く理解できる。

わたしたちは当然のこととして、自尊心を「高い」か「低い」かで考える。しかし、顕在的自尊心（外面）と潜在的自尊心（内面）が独立していると考えれば、次の4タイプがいることになる。

①顕在的自尊心も潜在的自尊心も高い
②顕在的自尊心も潜在的自尊心も低い
③顕在的自尊心は低いが潜在的自尊心は高い
④顕在的自尊心は高いが潜在的自尊心は低い

一般的に「自尊心が高い」といわれるのは①のタイプ、「自尊心が低い」のは②のタイプだというのはわかりやすい。

それに対して日本人は③のタイプが多く、周囲と合わせるために、自分の高い自尊心を巧妙に隠している。「一見、謙虚で腰が低そうに見えながら、実際はプライドが高くて扱いづらい」という人物は、あなたのまわりにもたくさんいるのではないだろうか。

その一方で④のタイプは、外面上は自信満々に見せていながら、じつは自分に自信がなく、それがバレるのではないかとつねに戦々恐々としている。「虚勢を張っているだけで実際はコンプレックスが強い」タイプで、きっと何人もの顔が思い浮かんだだろう。

誰もが認める成功者は、顕在的自尊心も潜在的自尊心も高いだろう。しかしそんな幸運な者の多くは、内心ではいまの地位を奪われるのではないかと不安に苛まれているかもしれない。

顕在的自尊心も潜在的自尊心も低いと、共同体のなかでうまくやっていくことができず、うつ病と診断されたりする。こうしたひとはごく一部なのだから、「自尊心が低い」とされる（自分でもそう主張する）日本人の多くは、じつは潜在的自尊心が高いことになる。

これはまだたんなる仮説だが、自尊心が高いか低いかの単純な二元論よりも、こうした見方の方が、ずっと人間社会の陰影をよくとらえているのではないだろうか。

22　自尊心は「勘違い力」

「世の中には自尊心が高いひとと、低いひとがいる」と、当たり前のように思われている。だが潜在的な意識を調べる手法（ＩＡＴ：潜在連合テスト）が開発されて、「自尊心が高い」と答えても実際には低かったり、逆に「自尊心が低い」と口ではいっていても、こころのなかでは相手をバカにしていたりすることがわかってきた。これが「顕在的自尊心」と「潜在的自尊心」だ。

それに加えて、自尊心の安定度にも個人差があるらしい。

このことは、次のようなちょっと意地悪な実験で調べることができる。[18]

被験者（たいていは大学生）がミラールームに入ると、そこには別の学生がいる。その学生となにかのテーマ（政治問題や大学生活）について話をするのだが、鏡の背後では判定者が議論の様子を見ていて、それぞれの学生の好感度を評価する。その点数は、リアルタイムで壁のモニターに表示され、学生の目に入るようになっている。

議論が始まると、モニターの数字は最初は上がったり下がったりするが、あるときから被験者の評価が急に下がりはじめる。頑張って好感度を上げようと努力したにもかかわらず、なぜか嫌われてしまったのだ。

もうおわかりのように、鏡の後ろに判定者がいるというのはウソで、モニターの数字は研究者が上げ下げしている。被験者の指先には発汗を測定する器具が取りつけられていて、評価が下がったとき、どの程度傷ついたかがわかるようになっている（強いストレスを加えられると、無意識のうちに掌に汗をかく）。

こうした実験によって、「自尊心が高い」と回答したのにストレスに弱いタイプ（多量の発汗がある）や、「自尊心が低い」と自己申告したのにストレスに強いタイプ（あまり発汗しない）がいることがわかった。

自尊心と暴力の関係を調べた研究では、「自尊心が高いと落ち着いていて、自尊心が低いと攻撃的になる」という常識を支持するものがある一方で、「自尊心が高いほど攻撃的になる」と意外な報告をするものもある。だがこの矛盾は、自尊心の安定度のちがいによってすっきり説明できる。

自尊心が高く、かつ安定しているひとは、少々のストレスでは動揺しない。それに対して、自尊心が高くても不安定なひとは、わずかなストレスでも強く傷つくため、それを回復しようとして他者に対して攻撃的になるのだ（何人かの顔が思い浮かんだだろう）。

暴力（攻撃性）を予測するのは自尊心の高低ではなく、その安定度らしい。自尊心が低くても安定しているタイプは、（もともとそんなものだと思っているので）他者の評価が低くてもあまり気にしないのだ。

だったら、「自尊心が低くて不安定なタイプはどうなるのか」との疑問が生じるだろう。この場合も攻撃性が高まるものの、その方向は他者ではなく自分に向けられ、抑うつ的になるようだ。

主要なパーソナリティ（性格）のひとつに「神経症傾向」がある。これは「楽観的／悲観的」のことで、自尊心の安定度というのは、じつはこの「神経症傾向」を調べている。

自尊心が重要とされる根拠のひとつに、「自己肯定感が高いと幸福度も高い」がある。一方、パーソナリティ心理学でも、「楽観的だ（神経症傾向が低い）と幸福度が高い」という結果が一貫して示されている。なぜなら、これらは同じことだから。

「自尊心が低いとパートナーと長続きしない」ともいわれる。しかしこちらも、「悲観的だ（神経症傾向が高い）と、恋人と別れたり離婚したりしやすいという研究がある。悲観的なタイプはものごとをネガティブに考えてしまい、「愛されていないのではないか」「浮気されているのではないか」などと疑心暗鬼に陥り、その不安を相手にぶつけるため、関係が破綻しやすいのだとされる。

このように考えると、「自尊心」といわれているものの多くは、「楽観的／悲観的」のパーソナリティで説明できそうだ。

一卵性双生児と二卵性双生児の比較などから遺伝と環境の影響を調べる行動遺伝学によれば、基本的な性格は半分は遺伝、もう半分は幼少期の環境（友だち関係など）でつくられ、思春期以降はほとんど変わらない。生来、楽観的なひとは自尊心が高く、悲観的なひとは低いのだとすれば、「自尊心を高める訓練」にもさしたる効果は期待できないだろう。

だが、「悲観的」な性格だからといって悲観する必要はない。

さまざまな研究から、自尊心が高いタイプが、「自分はみんなから好かれている」と（楽観的に）思っているのは間違いない。だが周囲の評価を調べると、自尊心が高くても低くても好感度に変わりはない。

グループ討論では、自尊心が高いと最初はみんなから好感をもたれるが、その評価は徐々に下がっていく。自尊心が低い方が、最後は好感度が高くなることもある。

なぜこうなるかは、自尊心の（主観的な）高さが、要するに「勘違い力」のことだと考えれば理解できる。周囲に勘違いがバレてしまうと、KY（空気が読めない）と見なされて相手にされなくなるのだ。

それに対して自尊心が低いと、まわりに合わせようとするので、「最初は消極的だと思ったけど、協調性があっていいじゃないか」などと評価が変わったりする。——とはいえ、自尊心が高いと「積極的に他人に話しかける」という効果はあるらしい。

ヒトは数百万年かけて、徹底的に社会的な動物として進化してきた。誰もが知り合いという濃密な共同体のなかで生き延びるには、他者の評価に敏感でなければならない。

その結果、わたしたちはみな高感度の自尊心メーターを脳に埋め込まれている。他者から批判されると、メーターの針が下がって大音量で警報を鳴らす。自尊心が高い／低いというのは、その音量の大小のことだ。

わたしたちはものごころついたときから、周囲に同調しつつも、自分を目立たせるという複雑なゲームをしている。波風立てないようひたすら低姿勢でいるだけでは、ヒエラルキーの最底辺に押しやられて性愛を獲得できず、「利己的な遺伝子」を後世に残せないのだ。

そう考えれば、わたしたちはみな自尊心が低く（同調する）、同時に自尊心が高い（競争する）ように「設計」されている。自尊心をめぐる議論が混乱するのは、それを「高い」か「低い」かの二元論にしてしまうからだろう。

自尊心が高いひとをうらやましいと思うかもしれないが、ナルシシストを除けば、それはたんに、自尊心が高く見えるように上手に装っているだけだ。なぜなら、自尊心が極端に高い（同調性のまったくない）ひとは、とうのむかしに共同体から排斥されるか殺されるかして、遺伝子を残すことができなかったから。

もちろん、自尊心の低さが生きづらさにつながっていることはあるだろう。だがそれも大同小異で、自信に満ちあふれたように見えるひとも、実はつねに不安におびえているのだ。

23　善意の名を借りたマウンティング

社会的な動物は、地位をめぐってはげしい競争をしている。精子（いくらでも生産できる）と卵子（月に1回しかつくれない）のコストのちがいによって、ほとんどの哺乳類では、オスが競争し、メスが選択することになる。

地位の高いオスは多くのメスから求愛され、地位が低いと相手にされない。だがチンパンジーやボノボのような類人猿では、メスもヒエラルキーをつくり、地位が高いほど生存や子育てが有利になる。

ヒトは哺乳類のなかでもっとも高度に社会化されており、育児を含めれば妊娠した女性のコストはきわめて大きい。だとしたら女はセックスの相手を徹底的に選り好みするはずで、それによって男たちの地位をめぐる競争も激烈になる。

それと同時に、女集団のなかでも地位の競争が起きる。中学や高校で誰もが経験したように、スクールカーストにおいては、地位の高い女子生徒はカースト上位の男子生徒とつき合うのだ。

このようにして、ひとたび集団ができると、そのなかでの序列が重大な問題になる。男集団では序列が明確になるのに対し、女集団では暗黙の序列が好まれるなどのちがいがあるが、興味深いことに、これはチンパンジーと同じだ。

安定したヒエラルキーをつくるには、誰が誰の上位かを決めなくてはならない。これがないと組織が機能しないため、軍隊や会社では階級・肩書が必要になる。

では、肩書のない集団はどうするのか。このときに使われるのが「マウンティング」だ。

マウンティングは主に霊長類のオス同士が行なう順位確認行動で、相手に馬乗りになった（マウントをとった）方が優位、マウントされた方が劣位になる。オスたちはつねにマウントをとりあって自分の地位を確認し、同時に、メスに地位の高さをアピールしているのだ。

集団内の序列の変動は死活問題なので、ヒトの脳は、下方比較（マウントすること）を報酬、上方比較（マウントされること）を損失と感じるように進化した。相手にマウントすると「自己肯定感」が高まってよい気分になり、逆にマウントされると、脳内に大音量で警報が鳴り響く。たとえそれが、「善意」の名の下に行なわれたものであっても。

アメリカの心理学者ボルジャーとアマレルは、ニューヨークの女子大生を被験者にして、支援の仕方で心理的な影響がどう異なるかを調べた。ひとびとがどんどん孤独になっている現代社会では社会的支援が重要だとされるが、どんな支援でもいいわけではないと考えたのだ[19]。

被験者の学生が部屋に入ると、そこには別の女子学生がいて、どちらかが人前でスピーチすることになると告げられる。これは心理実験の定番の仕掛けだが、もう一人の学生はサクラで、イヤなことをさせられるのはつねに被験者だ。

アメリカの大学生でも、いきなりスピーチするのは大きなストレスになる。そこで、同席した学生相手に練習するよう促される。このときのアドバイスの仕方で被験者の心理がどのように変わるかを調べるのが実験の目的だ（したがって、実際にスピーチするわけではない）。

スピーチをすると思って緊張している被験者は、「見える（あからさまな）支援」か、「見えない（婉曲な）支援」かを受けた。「あからさまな支援」では、学生から「あなたはこうするべきだ」という直截的なアドバイスを受け、「婉曲な支援」では「自分だったらこうする」と伝えられた。

このサポートを受けたときの心理状態を調べると、「あからさまな支援」は「婉曲な支援」よりずっと心理的苦痛が大きかった。自分と同じ立場の学生から「こうすればいいのよ」と指導された被験者は、マウントされたと感じたのだ。

このことを確認するために、次の実験では、優位・劣位を暗示する会話が加えられた。「あなたはアドバイスを必要としているようだけど」と自信のなさを指摘され、上から目線で「あからさまな支援」を受けた被験者は、もっとも大きな心理的苦痛を感じた。それに対して、「あなたにはアドバイスはいらないだろうけど、私は必要かもしれない」と、下から目線で「婉曲な支援」を受けた被験者は、もっとも心理的苦痛が少なかった。

ここまでは予想どおりだが、驚いたのは、上から目線で「婉曲な支援」を受けたときの心理的苦痛が、下から目線の「あからさまな支援」とほぼ同じで、なんの支援も受けなかったときよりわずかに大きかったことだ。中立的に見えるアドバイス（こうすればいいいんじゃないの）ですら、言い方次第では、ストレス下にある相手にはマウントと感じられるのだ。

この結果は、苦境にあるひとへのサポートの難しさを示している。「善意」の言葉も、相手は自尊心への攻撃だと思って、ものすごく傷ついてしまうかもしれない。

だとすれば、支援者はつねに「私はあなたより無力です」と卑下すればいいのだろうか。だがこれもうまくいきそうにない。

これは別の研究者によるものだが、被験者はある課題について、参加者のなかで成績トップの友人か、平均的な成績の友人かのいずれかからサポートを受けた。その結果は、正当性の高い（成績のいい友人からの）アドバイスでは課題の成績が上がり、正当性の低い（平均的な成績の友人からの）アドバイスでは逆に成績が下がってしまった。自分と同程度の（無力な）相手からのアドバイスは、役に立たないのだ。

このことは、教育が成立するには教師の権威が必須である理由を教えてくれる。生徒が教師を尊敬しているか、すくなくともその科目については自分より高い能力をもっていると認めているのでないかぎり、あらゆる言葉は「攻撃」と受け止められてしまうのだ。

圧倒的な強者からのアドバイスなら、マウントと感じて自尊心が傷つくことはない。序列のちがいは誰の目にも明らかなので、相手にはわざわざマウントをとって序列を示す理由がないとわかっているからだ。

だが、両者の力関係が接近してくると話はややこしくなる。

支援を受ける側は、それが善意によるものなのか、マウントしようとしているのか、疑心暗鬼になってしまう。そしてこれは、被害妄想というわけではない。序列が曖昧なときは、どんな機会も逃さずにマウントするのが進化の最適戦略なのだ（学校や会社でしばしば体験するのではないだろうか）。

この一連の実験は、なぜボランティアに人気があるのかを教えてくれる。善意の名を借りて無力の人間をサポートする側に回ることは、自尊心の低いひとにとって、それを引き上げるもっとも簡便な方法なのだ。

これも「言ってはいけない」のひとつだろうが、ボランティアにかかわったことのあるひとは、うすうす気づいているのではないだろうか。

24　進化論的なフェミニズムへ

差別や偏見が世界じゅうで大きな問題になっている。だがこれは、社会がどんどん「差別的」になっているからではなく、（異論はあるだろうが）「リベラル化」が進んだ結果、これまで問題にされなかったような〝些細な〟ことが差別と見なされるようになったからだ。

差別・偏見のもとにあるのがステレオタイプで、個人ではなく集団の属性によって判断することだ。

「女子社員はしょせん出産までの腰掛け」というのが典型的なステレオタイプで、こう考える経営者は男性社員を将来の幹部候補として重用する一方で、女性社員にはなんの期待もしないだろう。それに耐えきれずに彼女が辞めると、「やはり自分の判断は正しかった」とステレオタイプが強化される。これが「予言の自己実現」効果だ。

さらにやっかいなのは、あちこちの会社でこういうことが起きると、「女性を育てようとしても無駄」というステレオタイプが社会全体で共有されてしまうことだ。これが「統計的差別」で、女性の勤続年数が統計的に短い社会では、女性社員に多額のコストをかける「リベラル」な会社は、「出産までの使い捨て」と考える「保守的」な会社より少ない利益しかあげられず、株式市場から退場を迫られることになる。

「統計的差別」をなくすには、妊娠・出産後も男性社員と対等に仕事ができるように、外部のちからによって職場環境を強制的に変えなくてはならない。このようにして日本でも男女雇用機会均等法が定められたが、欧米ではさらに一歩進んで、女性の議員候補や会社役員を一定数（3分の1あるいは半分）まで引き上げる「クオータ制」の導入が進んでいる。

ここまではきわめて筋の通った話だが、このように男女平等が進めば進むほど、それでも残るジェンダーギャップが顕在化してくる。

社会的な性別格差を示すジェンダーギャップ指数で日本は146カ国中116位（2022年）とあいかわらず「世界最底辺」をうろうろしているが、性別による格差がもっとも小さい北欧諸国でも、男女の平均賃金にはかなりの開きがある。その理由のひとつは、看護・介護などの職に就く女性の割合が高く、彼女たちの多くは公務員なので、民間企業で働く男性より賃金が低くなるからだ。

とはいえ、これは「差別」なのだろうか、それとも自ら望んでそのような仕事を選んでいるのだろうか。

「差別」だとすると、彼女たちはなにものか（社会の圧力など）に強制されて、いやいや看護・介護という「汚れ仕事」をやらされていることになる。誇りをもって働いている女性たちは当然、こうした「偏見」に反発するだろう。

これとは逆に、自由意志で賃金の低い仕事を選んだとすれば、男女の賃金格差にはなんの問題もなく、政府が介入する理由もなくなる。リベラルはこの論理を受け入れることを躊躇するだろう。

「看護・介護の報酬を上げる」というシンプルな解決策があるが、そうなると税金を大幅に引き上げるか、患者・利用者の個人負担で賄うしかない。これはとうてい有権者の支持を得られず、北欧の政治家ですら尻込みするだろう。

こんな不毛な対立が続くのは、ジェンダーギャップの背後に男女の生物学的な性差があることを隠蔽しているからだ。

生まれたばかりの赤ちゃんでも、男の子はモビール（紙やプラスチックでつくられた動くおもちゃ）のようなモノに興味を示し、女の子は母親や看護師などヒトを見つめる。進化論的には、これは男の脳が（動く動物を仕留める）狩猟に最適化し、女の脳が（共同体の女たちと子どもの世話をしながら行なう）採集に最適化しているからだ。

こうした主張は一部で「性差別的」とされ、重箱の隅をつつくような批判がなされているが、男と女では網膜の作りからちがっている。

網膜にはM細胞（大細胞）とP細胞（小細胞）があり、M細胞はモノの動きに、P細胞は色や質感の状態に反応する。男女の網膜を調べると、男の方が厚い。これは網膜に大きくて厚いM細胞が広く分布しているからで、それに対して女の網膜は小さくて薄いP細胞に占められている。

幼い子どもにクレヨンで好きな絵を描かせると、女の子は赤、オレンジ、緑、ベージュといった「温かい色」で人物（あるいはペット、花や木）を描こうとし、男の子は黒や灰色といった「冷たい色」を使って、ロケットや車など、なんらかの動きを表現しようとする。

これは親や教師が「男の子らしい」あるいは「女の子らしい」絵を描くように「ジェンダー圧力」を加えたからではなく、網膜と視神経の生物学的なちがいから好みに性差が生じるのだ。

男と女では「見える世界」がちがっていて、そのため脳の構造も（わずかに）異なっている。これによって、男は空間的知能が発達し、女は言語的知能が発達した。

これは説得力のある理論だと思うが、「女は数学が苦手」というステレオタイプを嫌うひとたちは許せないらしい。しかし不思議なことに、「男は言語的知能が低い」というステレオタイプに、同じように感情的に反発することはない。

男と女で得手不得手があってもいいではないかと思うかもしれないが、これが「偏見」とされるのは、現代社会において、論理・数学的知能が（極端に）高い者がとてつもない富を獲得し、その性比が大きく偏っているからだ。一時期は個人資産30兆円（トヨタの時価総額と同じ）になったイーロン・マスクをはじめとしてシリコンバレーの起業家は男ばかりだし、年収10億円や１００億円のヘッジファンドマネージャーもほぼ全員が男だ。

アメリカ西海岸を拠点とするテクノロジー企業は、世界でもっともリベラルな方針を掲げ、男女平等を推進している。それにもかかわらず、公平な（はずの）採用試験で選ばれるのが男ばかり（子どもの頃にアスペルガー症候群と診断された者も多い）なら、そこには明らかに男女の生物学的な性差があるのではないか——と社内レポートに書いたグーグルの従業員は、たちまち解雇されてしまった。

男女の脳にはなんのちがいもないとほんとうに信じているのなら、「言論弾圧」をするのではなく、エンジニアやプログラマーの男女比を同じにすればいいだろう。なぜそうできないかというと、きわめて高知能の領域では男の方が優秀で、男女平等だとライバル企業に優秀な人材を奪われると思っているからではないのか。

だがここには、より重大な「言ってはいけない」事情がある。

シリコンバレーの企業では、白人（ユダヤ人）、インド系、アジア系の従業員が人口比に不釣り合いなほど多く、黒人やヒスパニックが少ない。その理由はいったいなんなのか——という議論を誘発しないためには、「男と女の脳には生物学的なちがいがある」という主張をなにがなんでも封殺しなければならなかったのだろう。

PARTⅣ 「差別と偏見」の迷宮

25 無意識の差別を計測する

差別や偏見の議論がややこしいのは、「差別主義者」がどこにもいないことだ。なぜなら、リベラルな社会では、そのような者は社会的に抹殺されて生きていけないから。

このことは、「自分を〝差別主義者〟と名乗っている者は誰か」と問えばすぐわかるだろう。現代社会では、「差別だ」との糾弾は他者から貼られるレッテルで、本人がそれを認めることはめったにない。

アメリカにおいて、有色人種に対する白人の優越を主張する（とされる）のが「白人至上主義者」だ。世界はディープステイト（闇の政府）に支配されているというQアノンの陰謀論を信じ、トランプはそれと戦っているとして、「不正」な選挙によって盗まれた大統領の座を奪還するために連邦議会議事堂を占拠した。

だがジャーナリストが彼らに取材すると、誰一人として「白人は人種的に優れている」と述べる者はいない。それとは逆に、有色人種（とりわけ黒人）を〝優遇〟するアファーマティブ・アクション（積極的差別是正措置）によって、アメリカの白人はさまざまな場面で差別されている「被害者」だと主張する。

「自分は差別されている」と信じている者を、「お前は差別主義者だ」と批判するとき、両者のあいだでどのような対話が成り立つのだろうか。ここに、アメリカの人種問題の困難があるのだろう。

「差別などしていない」と思っているのに、他人から「差別だ」と決めつけられるのは理不尽きわまりない。だがほんとうに誰も差別などしていないのなら、なぜ「差別問題」が頻発するのか。

アメリカの保守派は、1960年代の公民権運動やその後の法改正で「人種差別」はなくなったとする。それにもかかわらず多くの黒人が貧困に喘ぎ、刑務所に収監されている現実があるとすれば、それは「自己責任」以外のなにものでもない。

保守派の論理では、警官が黒人に職務質問するのは差別・偏見ではなく、黒人の犯罪率がきわめて高いからだ（これは事実）。犯罪に関与している可能性が高い者を警官が職質すると結果的に黒人が大半になり、実際に犯罪に手を染めているから逮捕され、刑務所に送られるのだ。

リベラルはもちろん、こうした論理を「差別的」だと拒否する。白人警官が無実の黒人に暴力をふるい、ときに死に至らしめるのは、アメリカがいまだに「人種差別社会」であることを明白に示しているのだ。

実際、アメリカの裁判記録を調べると、被告が黒人だった場合、白人の被告に比べて有罪になる割合が高いことが繰り返し示されている。とりわけ「アフロセントリック（典型的なアフリカ系）」の顔立ちの容疑者は重い罰を下され、その一方で、童顔の白人は無罪になる可能性が高い。

「アメリカ社会には人種差別が埋め込まれている」という批判的人種理論（クリティカル・レイス・セオリー）には説得力があるが、しかしこれは新たな問題を引き起こす。このような主張をリベラルな白人がすると、自分たちが「加害者」になってしまうのだ。

この不都合を解消するには、自分以外の白人を「差別主義者」に仕立てるしかない。このようにして保守的な白人層までをも「白人至上主義者」として〝悪魔化〟した結果、その反発がドナルド・トランプという異形の大統領を生み出した。

この論理が過激化すると、「人種差別を批判している白人もまたレイシスト（人種主義者）だ」との主張になる。これが「ホワイト・フラジリティ（白人の脆弱さ）」で、東部や西海岸のリベラルな白人エリートは、自分の内なる差別意識を隠蔽するために、口先だけで人種の平等を唱えているのだ——という話になる。

しかしそうなると、白人リベラルを批判する白人左翼の「虚偽意識」はどうなるのか。これは全共闘の内ゲバ（自己批判）と同じで、論理は無限に後退し出口はどこにもない。

このような泥沼にはまり込むのは、差別や偏見を客観的に計測する方法がないからだ。その結果、誰もが相手に「レイシスト」のレッテルを貼ろうと狂奔する。そうしないと、自分がレッテルを貼られてしまうから。

幸いなことに、この罠から抜け出す強力な手法がある。それがIAT（潜在連合テスト）で、アメリカの社会心理学者アンソニー・グリーンワルドらが、パソコンを使った簡単な検査で、人種、ジェンダー、容姿、年齢、国籍などの偏見の度合いを客観的な数値として示せることを1998年に発表した[20]。

心理学ではそれ以前から、潜在意識にとって連想しやすいものと、連想しにくいものがあることが知られていた。「赤」という単語と「夕日」の写真を示したときの反応は、「海」の写真を示したときより速くなる。潜在意識にとって「赤」と「夕日」は同じカテゴリーで連合しているが、「海」は別のカテゴリーなので、結びつけるのに意識的な努力が必要になり、その分だけ反応が遅れるのだ。

グリーンワルドらはこれを利用して、黒人と白人の顔写真を、花（ポジティブ）や銃（ネガティブ）の写真と結びつける時間を計測した。

人種的な偏見を持っている被験者は「黒人」と「銃」が連合しているので、「花」と結びつけるのに時間がかかる。偏見がなければ、どちらも同じ速さでクリックできるはずだ。

実際にやってみると、IATの結果から人種間の選り好みをかなり正確に予測できることがわかった。

IATで人種バイアスが強かった白人の被験者は、採用面接のシミュレーション実験で、同程度の実力をもつ白人候補者を黒人候補者より好意的に評価した。集中治療室の研修医は、同じ急性の心臓病の兆候をもつ黒人と白人の患者が搬送されてきたとき、黒人患者より白人患者に最適な治療を行なうことが多かった。

もちろん、人種IATで潜在的偏見をもつとされたひとたち全員が、現実世界でも差別的なわけではない。とはいえ、人種バイアスの強さが上位50％に入った者のうち、およそ6割が実際に差別的な言動をするという。

だとしたらリベラルは、誰がレイシストで誰がそうでないのかを見分けるために、IATを積極的に使えばいいではないか。

だが、ここにもやっかいな問題がある。リベラルな白人がIATを受けると、「白人至上主義者」と似たような結果になるのだ。同性愛者の権利を守る女性活動家がIATを受けたときは、「同性愛＝よい」の連合より「同性愛＝悪い」の連合が強く出て、この活動家はメディアに自分の名前を出すことを拒否したという。

さらに困惑するのは、黒人の被験者が人種IATを受けても、かなりの割合で「黒人」と「銃」を結びつけるようなネガティブな連合が見られることだ。そうなると、そもそもIATが計測している「偏見」とはなんなのかという話になる。

IATによると、アメリカでは人種や主義主張を問わず、誰もが「レイシスト」になってしまう。この「不都合な事実」が、リベラルがIATを無視する理由だろう。

いったいなぜこんなことになるのか。次はそれを考えてみよう。

26　誰もが偏見をもっている

「ヨハネスブルグは世界で最も犯罪が多発する危険都市だ。特にダウンタウンでは昼夜を問わず、いつ強盗に遭ってもおかしくない。犯行はナイフや拳銃を用いた強引かつ凶暴なものなので、ヘタに抵抗しないほうがいい。泣こうが叫ぼうが周りの人は見て見ぬふり。襲われたら最後、助けはないと思ったほうがいい。それでも出歩くというのであれば、無理に止めはしないが、暴行されたうえ金品を巻き上げられるか、また女性ならレイプされ、最悪は殺される覚悟が必要だ」

これは、日本でもっとも売れている海外旅行ガイドブックの記述だ。南アフリカを訪れる旅行者の多くは、これを読んでから出発する。私もその一人だった。

ヨハネスブルグでは、高級ホテルやショッピングセンターが集まった、日本でいうなら六本木ヒルズのようなところに宿泊した。ここは白人の比率が圧倒的に高く、とても安全だ。旅行者は、この区画から外に出てはならないと繰り返し注意される。

どこが安全エリアで、どこが危険かが明示されているわけではないが、誰でもすぐにわかる。狭い道路を挟んでこちら側は、ビジネスマンやベビーカーを押した家族連れの白人たちが歩いている。道路の向こう側は全員が黒人で、白人の姿はない。

このような場所で2~3日過ごすと、つねに周囲に白人がいるかどうかを確認するようになる。白人がいれば安全で、黒人ばかりだと危険のサインなのだ。

前回、無意識のバイアスを調べるＩＡＴ（潜在連合テスト）を紹介した。脳は「赤」と「夕日」のように同じカテゴリーのものを、「赤」と「海」のような別のカテゴリーより速く結びつける。これを利用して、人種やジェンダーなどに対してどのようなステレオタイプを持っているかを調べるのだ。このＩＡＴは、インターネットで日本語でも受けられる（https://implicit.harvard.edu/implicit/japan/）。

ジェンダーＩＡＴでは、「女は数学が苦手」「男の方が優秀」のようなバイアスを調べる。実際にやってみたところ、私にはこうしたステレオタイプはなかった。これはべつに自慢ではなく、私は長く出版業界にいたが、この業界では「女の方が男より優秀」ということはいくらでもある。仕事に関しては（「すべて」とはいわない）、女性に偏見をもつ理由はない。

それに対して、はっきりとしたステレオタイプが出たのが人種IATで、黒人よりも白人を選好しているという結果が出た。

これについては、テストを受ける前から、たぶんそうなるのではとの予感があった。それだけ、南アフリカでの体験が強烈だったのだ。

ヨハネスブルグに行ったことがあればわかるだろうが、この街では、旅行者はホテルを一歩出ると、ずっと緊張していなければならない。

親しくなったアフリカーナー（初期に入植したオランダ系白人の子孫）のガイドは、南アフリカがいかに素晴らしいところかをずっと語っていたが、最後になって、つい最近、若い黒人二人組に銃を突きつけられて殴打され、財布と携帯電話を奪われたことを教えてくれた。そして、「どんなことがあってもけっして一人で街を歩いてはいけない」と何度も念を押された。

すべての生き物にとって、生存は（生殖とともに）もっとも重要なのだから、脳はごく自然に、「白人＝安全」「黒人＝危険」という連合を学習する。IATはこうした連合（カテゴリー分け）を計測するから、それがそのまま結果に表われるのだ。

これは、「自分は人種主義者（レイシスト）ではない」という言い訳でない。人種IA

Tでは、黒人でも（白人より低いものの）かなりの確率で「黒人＝危険」のステレオタイプをもつことがわかっている。[21]

『ティッピング・ポイント』や『第1感　「最初の2秒」の「なんとなく」が正しい』などのベストセラーがあるマルコム・グラッドウェルは、テレビのインタビューで、人種IATを受けた経験をこう語っている。

「僕の母はジャマイカ人なのですが……僕が人生で誰よりも愛している人が黒人であり、今受けた（IAT）テストで、率直に言って、自分は黒人のことをそれほど好きではないという結果が出たんですよ。そのため、僕はみんなと同じことをしました。つまり、もう一度テストを受けてみたんです！　もしかしたら何かの間違いだったかもしれないと思って。しかし結果は同じでした。再度受け直し、また同じ結果でした。それを見て僕はゾッとし、気が滅入り、悲惨な気持ちになりました」

しかしこれは、グラッドウェルが「レイシスト」だということではもちろんない。南アフリカほどではないものの、アメリカでも黒人の犯罪率は白人よりずっと高い。そのような社会で暮らしていると、無意識に「白人＝安全」「黒人＝危険」という連合ができてしまうのだ。

反同性愛差別の女性活動家が、ＩＡＴで同性愛者へのステレオタイプが出たのも同じだ。これを「同性愛者への内なる差別意識を抑圧するために、差別と戦う活動家になった」とフロイト的に解釈する必要はない。彼女は日々の活動のなかで、ネットでの誹謗中傷など同性愛者に対するさまざまな差別に触れていて、その結果、自分の意識とはまったく独立に、同性愛者へのネガティブな連合が形成されてしまったのだろう。

だがこれは、ＩＡＴが無意味だということではない。白人至上主義者は、明らかに黒人に対してネガティブな連合を持っている。だがそうでなくても、一定の条件下でこうした連合がつくられる可能性がある。脳は、「リベラル」の原則に従って進化してきたわけではない。問題は、両者を見分ける方法がないことだ。

いったんこうした連合がつくられてしまえば、脳は自動的に反応する。「それは（差別とはいわないとしても）偏見ではないのか」と批判されれば返す言葉はない。とはいえ、「正義」の名の下に他人に石を投げるのであれば、まずは自分がＩＡＴを受けてみるべきだと思うが。

ＩＡＴが明らかにしたのは、わたしたちは誰一人としてステレオタイプ（偏見）から自由ではないということだ。脳はもともと、世界をカテゴリー化して理解するようにつくられている。だからこそ、ちょっとしたきっかけでネガティブな連合を形成し、さらにやっかいなことに、そうした連合を（生存や生殖に）有利だとして長く保持してしまうのだ。

私はこれまで、黒人との間でネガティブな体験をしたことは一度もない。高校生の頃からずっと、ジャズやレゲエの黒人ミュージシャンに憧れていた。それにもかかわらず、南アフリカから帰ってきてずいぶんたつのに、日本ではなんの意味もない人種ステレオタイプを抱えているのはかなり居心地が悪い。

クモ恐怖症などの神経症は脳の不都合な連合で、行動療法（脱感作療法）で消去できることがわかっている。機会があれば、このステレオタイプも消してもらえないかと思っている。

27　差別はなぜあるのか

ステレオタイプというのは、ヒトの集団をいくつかのカテゴリーに分けて理解しようとすることだ。なぜこんなことをするかというと、脳には認知的な限界があり、複雑なものを複雑なまま取り扱うことができないからだ。

物理学的には、世界はさまざまな波長の電磁波に満ちているが、人間の目が光として感知できるのはそのごく一部で、可視域は下限が360〜400ナノメートル、上限が760〜830ナノメートルだ。それより短い波長には紫外線（UV）、X線、ガンマ線が、長い波長には赤外線、マイクロ波、ラジオ波があるが、どれも「見る」ことができない。

可視域の電磁波も、「赤」「青」「白」「黒」などの色のカテゴリーで認識される。網膜や視神経の生物学的な限界により、脳は世界を「ステレオタイプ化」して構成しているのだ。

この単純な例からわかるように、わたしたちはステレオタイプから自由になることはできない。それは脳の基本的な機能であり、ヒトの本性でもある。

アメリカ人は、初対面の相手を無意識に、「性別」「年齢」「人種」の3つのカテゴリーで即座に判断する。

「性別」と「年齢」がなぜ重要かは、進化論的に明快に説明できる。相手が子どもや老人なら、危害を加えられる恐れはないから無視すればいい。男にとって、若い女は性愛の対象で、若く屈強な男は生存への脅威となるから、特別な注意・関心を引く。女にとっては、見知らぬ若い男は性愛の対象であると同時に、暴力を受ける可能性もあるから、より複雑で高度な判断が必要になるだろう。

それに対して、「人種」のカテゴリー化は説明が難しい。人類が進化の歴史の大半を過ごした旧石器時代には、アメリカのような多民族社会は存在せず、周囲には自分と同じ外見の者しかいなかったはずだ。脳が人種に注目するようプログラミングされている理由はない。

その後の研究によって、カテゴリー化の対象は「人種」ではなく「社会」であることがわかった。「社会」とは、「俺たち（内集団）」と「奴ら（外集団）」の帰属のことだ。

このことは、次のようなシンプルな実験で確認できる。

黒人と白人の男性が私服で集まった写真を見せると、アメリカ人の被験者は人種でグループ分けをする。だが彼らにバスケットボールのユニフォームを着せると、今度はごく自然にチームによってカテゴリー化するようになるのだ。

このことから、人種差別は人間の本性ではないことがわかる。本性は内集団と外集団に分割すること、すなわち「社会（帰属）による差別」なのだ。

差別はなぜあるのか？　これについては、現代の進化論が説得力のある説明をしている。

環境から得られる資源が一定で、そこで暮らす集団が大きくなると、集団は分裂して複数の「社会（共同体）」が生まれる。そうなると、同じ社会の構成員とは協働し、異なる社会との競争に勝ち残ることが進化の最適戦略になる。

これは人類だけでなく、巨大な社会をつくる生き物はどれも同じ行動をとる。代表的な社会性昆虫であるアリの一種は超巨大なコロニーをつくり、何百キロも離れたところに連れて行っても、同じコロニー内であれば、そこの社会に溶け込み自分の仕事を始める。ところが異なるコロニー同士が接触すると、アリたちは互いに殺し合って、死骸が山となった「国境線」ができる。[22]

アリには、互いのアイデンティティ（帰属）を表わす特有の〝じるし〟がある。それが匂いだ。アリたちは、自分と同じ匂いがする相手とは協働し、異なる匂いがする相手を殺戮するようプログラムされている。

ヒトに遺伝的にもっとも近いのはチンパンジーやボノボだが、群れの数はどれほど多くても100頭前後で、どの個体もメンバー全員を知っている（相手がわからなくなるくらい群れが大きくなると分裂する）。

それに対して人類は、旧石器時代ですら数千人規模の社会を構成していたとされる。これは脳の認知の限界を超えるので、相手が誰なのかわからなくても（匿名でも）社会を成り立たせる仕組みが必要になった。

このとき使われたのが、味方なのか敵なのかを瞬時に判断できる〝じるし〟で、言葉（方言）や文化（刺青や服装、装飾品）、音楽などだ。これによって、同じ〝じるし〟をもつ者たちが協力して、異なる〝じるし〟をもつ者たちを皆殺しにすることが可能になった。

ヒトと社会性昆虫が似ているのは偶然ではない。大規模な「匿名社会」をつくるには、これ以外に方法はない。同じ環境の淘汰圧がかかれば、種がちがっていても、同じような性質が進化するのだ（収斂進化）。

初対面の相手に対して、わたしたちは即座に〝しるし〟を読み取ろうとする。これは強力な生存本能なので、意識で抑制するのはきわめて困難だ。

こうした〝しるし〟は、アメリカの人種問題では「白人／黒人」に、ヨーロッパの移民問題では「市民社会／イスラーム」になる。日本のネトウヨなら「日本人（愛国）／外国人（反日）」という国籍が〝しるし〟で、自分たちと異なる主張をする者を「在日認定」する奇妙な風習が生まれた。

それ以外でも、宗教や身分（カースト）、民族（パレスチナ問題）など、現代社会ではさまざまなものが〝しるし〟になる。近年のアメリカでは、共和党支持（保守）か民主党支持（リベラル）かの政治イデオロギーで社会が分裂している。差別の本質は人種や民族のちがいではなく、〝しるし〟によるカテゴリー化なのだ。

「差別のない社会」をつくるにはどうすればいいのだろうか。理屈のうえでは、カテゴリー化をやめればいいことは誰でもわかる。これが「集団ではなく一人ひとりを見る」というリベラルの戦略だ。

問題は、一人ひとりの個性を見分けられる脳のスペックが50人分程度しかないことだ。これが、学校の1クラスの上限が50人で、ＡＫＢ48が48人の理由だ。数百人や数千人の集団を「一人ひとり」見ることは、認知の限界をはるかに超えている。

だが悪い話ばかりではない。一つは、差別（カテゴリー化）が人間の本性といっても、文明化によって、異なる社会同士の暴力が徐々に緩和されてきていることだ。かつては殺し合っていた集団同士も、いまではサッカー場で罵声を飛ばしたり、ＳＮＳで罵詈雑言をぶつけあう程度にまで「穏健化」した。この傾向が数千年続けば、いずれは誰も〝しるし〟を気にしなくなるだろう。

もう一つはテクノロジーの進歩で、近い将来、ＡＩ（人工知能）が、ＳＮＳのビッグデータから一人ひとりを個別に評価するようになる。そうなればわたしたちは、人種や民族のようなカテゴリーではなく、知能や外見などの「個性」によって点数化され、誰とつき合い、誰を無視するかを決めるようになるだろう。

この「差別のない社会」がユートピアなのか、それともディストピアなのかはわからないが。

28 「偏見」のなかには正しいものもある？

ステレオタイプ（偏見）はこれまで社会心理学で詳細に研究されてきた。しかしそこには、学問の根幹にかかわる奇妙なルールがある。それが、「ステレオタイプが事実かどうかは問題にしない」だ。

第二次世界大戦では、ナチスのホロコーストによって膨大な数のユダヤ人が犠牲になった。背景にあるのはヨーロッパのキリスト教社会に深く埋め込まれたユダヤ人差別で、「ユダの裏切りでイエスが処刑された」とされるが、イエスはユダヤ教の改革派で、本人はもちろん他の使徒たちも全員がユダヤ人だった。

日本には出自を理由にした根強い差別があり、私が大学生の頃は、大手銀行は内定前に学生の戸籍を閲覧し、実家に興信所を派遣して出自を調べていた。その理由は、「穢れた血を会社に入れない」ためだ。いまこんなことをしたら頭取が辞任するくらいではすまないだろうが、１９８０年代は当然とされていた。

リベラルな社会では出自による差別は許されないので、もはや誰も「穢れた血が子どもに引き継がれる」などとはいわない。しかしその一方で、万世一系の神話では、「高貴な血は子々孫々まで受け継がれる」ことになっている。これは明らかに矛盾しているが、このなんともご都合主義的な解釈を否定すると天皇制が維持できなくなってしまう。

ヒトは両性生殖なので、子どもは父親と母親からそれぞれ50%の遺伝子を受け渡される。当然、父から子、孫へと世代を経るごとに遺伝子の共有率は低くなり、数十世代もすれば、「高貴な血」も「穢れた血」もヒトの遺伝子プールのなかに散逸し、家系や血のつながりはなんの意味もなくなる（近親婚を繰り返せば別だが、これはほとんどの場合、劣性遺伝の影響で悲惨な結果を招く）。

「ユダヤ人がイエスを殺した」という物語は、イエスや他の使徒がヨーロッパ系白人であることを暗黙の前提にしているが、これはデタラメだ。出自による差別は、遺伝についての非科学的な思い込みにもとづいていて、なんの根拠もない。このように、ステレオタイプが明らかに誤っている場合、それを正しく指摘することは、偏見や差別をなくすのにきわめて有用だろう。

だとしたらなぜ、「ステレオタイプの真偽は問題にしない」などということになるのか。それは、科学的・歴史的に真偽がはっきりしているステレオタイプのほとんどが検証された結果、曖昧なものだけが残ったからだ。より直截的にいうならば、「偏見」のなかには「正しい」(かもしれない)ものがあるのだ。

過激なフェミニズムの一派は、男と女には生殖器官以外なんの生物学的ちがいもなく、「男らしさ」「女らしさ」はすべて社会的・文化的に構築されたと主張する。

「男は女より暴力的だ」というのは典型的なジェンダー・ステレオタイプで、実際、国や文化のちがいにかかわらず、あらゆる社会で殺人犯は圧倒的に男が多い。

性ホルモンの一種であるテストステロンは、筋肉や骨格を発達させるとともに、性愛への関心を高め、冒険や競争を好むようにするとされる。テストステロンは主に男では睾丸から、女では卵巣から分泌されるが、その量には大きな性差があり、(生理周期による変動があるので)思春期の男の脳は女の60～100倍ものテストステロンに曝されている。これが男の攻撃性・暴力性を高め、犯罪件数や刑務所の収監率の大きな性差につながるという説明は、きわめて筋が通っている。

だが、「すべてのジェンダーギャップは社会的に構築される」という立場では、こうした生物学的な解釈は「差別」として否定されることになるだろう。しかしそうなると、

「男女が平等な社会になれば、男の殺人件数は女と同じまで減る（あるいは女の殺人犯が男と同じまで増える）」と大真面目に主張しなければならないが、これは筋金入りのフェミニストでも躊躇するのではないか。

「生物学的に説明できる性差と、文化的・社会的なジェンダーギャップを分けて論じればいい」と思うかもしれない。しかしこれは、すこし考えればうまくいかないことがわかる。

「女は男より数学が苦手だ」というのは典型的なステレオタイプで、ずっと批判されてきた。だがその一方で、「生まれたばかりの赤ちゃんでも、男の子はモノに、女の子はヒトに興味を示す」とか、「男の言語能力は左脳に偏り、右脳を論理・数学的な処理に使っているが、女は左脳だけでなく右脳も使って言語処理をしている（したがって女の方が言語能力が高い）」などの生物学的な説明がなされている。だとしたらこれは「偏見」ではなく、男と女の生得的な性差が「常識」になっただけではないのか——という話になる。

ここからわかるように、真偽が曖昧なステレオタイプについては、それが科学的に正しいかどうかを論じはじめると、ものすごく面倒なことになる。その結果、いわば「蟻の一穴」を防ぐために、社会科学であるにもかかわらず、「事実の真偽は問わない」という〝反科学的〟なルールが要請されたのだろう。

最近では、「男と女にさまざまな生物学的ちがいがあるのは当然」と考える〝常識的〟なひとも増えてきた。だがこれが「人種問題」になると、さらにやっかいな事態を引き起こす。

アメリカは「人種の平等」を達成するために、人種別の世帯収入や知能指数を公的に調べている。不利益を被っているグループを国が支援する以上、その政策（積極的差別是正措置）の効果を納税者に示さなければならないからだ。

人種別の世帯収入では、アジア系と白人が高く、黒人とヒスパニックが低い。そしてこの傾向は、人種別の知能指数と完全に一致している。ここから、「勤勉な文化をもつ人種」と「怠惰な文化をもつ人種」というステレオタイプが生まれた。

同様に人種別の犯罪件数では、黒人が（きわめて）高く、白人が低い。ここから、黒人と暴力・犯罪を結びつけるステレオタイプが生じる。

こうした人種間のちがいは、奴隷制の負の歴史や有色人種への構造的な差別によってもたらされたものにちがいない。しかしそのすべてを、「社会的に構築された」と言い切ることができるだろうか。

人種（ヒト集団）における遺伝的なちがいを論じるのは、右派・保守派だけではない。

近年、大きな注目を集めている遺伝人類学は、およそ6万年前の〝出アフリカ〟後に、ヒト集団がそれぞれの地域でどのように遺伝的に（わずかに）変異してきたかを調べることで、人類の来歴を解明しようとする学問だ。

だが、この〝科学的〟知見を人種問題に適用すると、「差別主義者」のレッテルを貼られて社会的生命を奪われてしまう。このようにして、学問の世界に巨大なタブーが生まれることになった。

とはいえ、「科学」を名乗りながらも科学を否定するのでは、単なる空理空論ではないのか。もちろんこの疑問も、「言ってはいけない」ことにされているのだろうが。[23]

29 「ピグマリオン効果」は存在しない？

オードリー・ヘップバーンが主演した映画『マイ・フェア・レディ』では、言語学の教授が、花売り娘の粗野で下品なコックニー英語（下町言葉）を矯正して、上流階級のレディとして舞踏会に出せるか賭けをする。原作はバーナード・ショーの戯曲『ピグマリオン』で、20世紀初頭のイギリスの階級社会を風刺しつつ、教育の可能性を描いている。

この戯曲は、ギリシア神話に出てくるキプロス島のピュグマリオーン王から題材を得ている。現実の女性に失望し、理想の女性を自ら彫刻した王は、彫像の女性に恋をしてしまい、それが人間になることを願うあまり衰弱していく。その姿を哀れに思った愛の女神アフロディーテが彫像に生命を与え、ピュグマリオーン王は彼女を妻に迎える――という物語だ。

社会心理学の「ピグマリオン効果」は、戯曲ではなくギリシア神話から名づけられた。

教師が生徒の能力に強い期待をもっていると、実際に生徒の能力が向上する現象のことで、１９６４年にアメリカの心理学者ロバート・ローゼンタールがその効果を実験で示すと、メディアがこぞって取り上げまたたく間に広まった。[24]

ピグマリオン効果が社会現象にまでなったのは、当時のアメリカでは、「能力」をめぐるやっかいな問題がすでに意識されていたからだ。

上・中流階級の子どもは成績が良く、貧困層の子どもが授業から脱落してしまうのは、家庭環境（子育て）の影響なのか、それとも知能が親から子へと受け継がれるからだろうか。家庭環境と遺伝によって知能が形成されるなら、白人の生徒と黒人の生徒の学力格差は、いずれにせよ黒人の親の責任になってしまうのではないか……。

こうした議論は半世紀以上たった現在でもまったく解決できず、異なる立場の者たちのいがみ合いがさらにヒートアップしているが、ピグマリオン効果にはこれを一瞬で解決する魔法のような効果がある。

子どもの成績が悪いのは遺伝のせいでも、子育てが間違っているからでもなく、教師の「期待」が低いからだ。だとしたら、よりよい教育を実現することで、すべての子どもたちが本来の能力を発揮できるようになるはずだ。――公民権運動でアメリカ社会が動揺するなか、白人上流階級の理想主義的なリベラルはこの説明を大歓迎した。

ところがその後、ピグマリオン効果は多くの批判にさらされることになる。その理由はいろいろあるが、突き詰めれば、それが「上に立つ者」にとって都合が悪かったからだろう。

大学の社会心理学のクラスにも、成績の悪い生徒がいるはずだ。そんな学生が、「落第したのは自分が勉強しなかったからでなく、あなたの期待が低いからだ」と教師に抗議するかもしれない。日本の大学教員にもピグマリオン効果を講じるひとがいるが、こうした事態にどう対処するつもりなのだろうか。

同様の理屈は、「親の期待が低い」「上司の期待が低い」「社会の期待が低い」などいくらでも拡張可能だろう。共通するのは「自分はなにも悪くない」ことで、誰もがこんなことをいいはじめたら、社会は成り立たなくなってしまう。

とはいえ、不都合だからといって間違っていることにはならない。ピグマリオン効果は、ほんとうに存在するのだろうか。

医薬品の効果を調べるとき、それが試薬なのかプラセボ（偽薬）なのかを、被験者（患者）だけでなく実験者（医師）にもわからないようにする。これが二重盲検法だが、なぜこんな面倒なことをするかというと、医師の期待が患者に影響することがわかっているからだ。――医師が本物の薬だと知っていると、その期待が（無意識のうちに）患者に伝わって治療効果が上がり、偽薬だと知っていると治療効果が下がる。

ピグマリオン効果を発見したローゼンタールはこれに興味を持ち、動物で実験してみた。ラットをランダムに2つのグループに分け、世話をする学生たちに、一方を「賢いラット」、もう一方を「鈍いラット」だと伝えた。すると、本来は同じ能力のはずなのに、「賢い（とされた）」ラットは、迷路課題で「鈍い（とされた）」ラットを圧倒したのだ。――「賢いラット」を担当していると信じた学生が、より手厚く世話をしたからだとされる。

ローゼンタールはこの結果に驚き、同じことが教育現場でも起きるのではないかと考えた。ちょうどそのとき、ラットの論文に興味をもった小学校の校長が助力を申し出て、歴史的な研究が実現した。

ローゼンタールは小学校で一種の知能テストを行ない、次いで5人に1人をランダムに選んで、「この生徒たちはテストで素晴らしい潜在能力を持っていることがわかったから、学習成績が大きく伸びるにちがいない」と教師に伝えた。すると、ラットの実験と同様に、選ばれた生徒たちの成績が上がったばかりか、その効果は2年後も続いていたのだ。

この印象的な結果（だからこそ社会現象になった）に対しては、その後、膨大な検証実験が行なわれた。それを端折っていえば、結論はおおよそ次のようなものになった。

①実験者の期待が被験者に影響するという意味でのピグマリオン効果は存在する。
②ただし、その効果はさほど大きなものではない。

ローゼンタールの実験を詳細に検討すると、ごく一部の生徒の成績が大きく伸びて、全体の平均を押し上げていた（ほとんど効果のない生徒も多かった）。その後の検証で、低学年の生徒にはピグマリオン効果が見られたが、高学年の生徒はほとんど変化がないこともわかった。さらには、低学年の生徒でも、ピグマリオン効果は学期のはじめに大きく、後半になるほど小さくなっていった。

これをまとめると、ピグマリオン効果は、小学校低学年の子どもたちを相手に、教師が生徒のことをよく知らないときにだけ観察でき、その効果は徐々に失われていくらしい。なぜこんなことになるかというと、教師が実際の子どもの能力に合わせて期待を修正するからだろう。

担任する生徒についてなにも知らないとき、権威あるテストで「この子の潜在能力は高い」と判定されれば、教師の高い期待が子どもに影響を与えることもあるかもしれない。だが学期も後半になると、どの子が優秀でどの子がそうでないかを教師自身が判断しているので、それと異なることをいわれても期待はたいして変わらない。高学年になれば、成績の良し悪しは教師も生徒も知っていて、第三者の介入にはほとんど影響されないのだろう。

このようにして、近年は欧米の心理学の授業で、ピグマリオン効果を積極的に教えなくなったらしい。教師も、「成績が悪いのはお前のせいだ」といわれる心配はなくなった。

しかし、これで面倒な問題が解決したわけではない。「大山鳴動して鼠一匹」ではないが、大騒ぎした挙句、けっきょく「遺伝か環境か」の元の話に戻っただけのようだ。

30　強く願うと夢はかなわなくなる

ピグマリオン効果は、「この生徒は優秀にちがいない」という教師の「期待」が無意識のうちに子どもに伝わって、実際に成績が上がることをいう。前回述べたように、こうした効果が存在するとしても、限定した状況（小学校低学年で、なおかつ教師が生徒のことをよく知らない一学期のはじめ）でしか観察されず、しかもその効果はさほど大きなものではないらしい。

第三者の「期待」が反映されるピグマリオン効果以上によく知られているのが、自分自身の「期待」や「信念」が実現することで、自己啓発本では「強く願えば夢はかなう」として頻繁に登場する。

これが真理なのは、そもそも願わなければ夢は現実化しないからだ。子どもの頃に「野球選手になる」という夢をもたなければ大谷翔平が大リーグで活躍することはなかっただろうし、「棋士になる」との強い信念がなければ藤井聡太が十代で五冠を達成することもなかっただろう。

だがこうした事例をどれだけ並べても、「強く願えば夢はかなう」と証明されたわけではない。特殊な成功例だけから結論を導くのが「サバイバルバイアス」で、たまたま生き残った者だけに注目して、死んでしまった多くの者たちを無視している。

宝くじは典型的なサバイバルバイアスで、数億円の賞金を手にして「夢をかなえた」者はたしかにいるが、その確率は交通事故で死亡するよりはるかに低い。日本の宝くじは期待値が50％以下しかない（売上の半分が発売元の取り分になる）世界でもっとも割の悪いギャンブルで、「強く願った」善男善女のほとんどが損をするため、経済学者は「愚か者に課せられた税金」と呼んでいる。

「自分は健康で長生きする」と思っているひとが実際に長命で、「身体が弱く短命だ」と悲観していると病気になりやすいという研究は大量にある。だがこれは因果関係が逆で、健康だから楽観的で、病弱だから悲観的になるのかもしれない。

どちらが正しいかは、健康状態のちがいを統制して、楽観的か悲観的かで平均寿命を比べてみればいい。

同程度の心臓発作を起こした患者を調べた研究では、予後について楽観的な予想をするひとは、死期が迫っていると悲観的な予想をするひとよりも長生きした。健康状態がまったく同じでも、悲観的だと事故や暴力（交通事故、水難、労働災害、殺人の被害者）で早死にしやすいという研究もある。

なぜこんなことになるかというと、自分は長生きすると思っているひとほど健康に気を配り、どうせすぐ死んでしまうと思っていると投げやりになって、酒、煙草、ドラッグ、危険な運転やレジャー、リスクのある行為をするようになるかららしい。

興味深いのは、「高齢者に対して偏見をもつと早死にする」というデータがあることだ。その理由は誰もが年をとるからで、老人に対してネガティブな決めつけをしていると、自分が老人になったときに、その偏見が自己実現してしまうのだ。

だったら何事も楽観的になればいいかというと、そんな簡単な話ではない。楽観的か悲観的かはヒトの基本的なパーソナリティのひとつ（神経症傾向）で、およそ半分は親からの遺伝で決まり、残りの半分は環境の影響だが、思春期以降はほぼ変わらないとされる。子どものときに楽観的だとずっと楽観的で、逆に神経症傾向が高いと、大人になってもいろいろな場面で悲観的な選択・行動をしてしまうのだ。

性格が悲観的だと、ほんとうに不幸を招き寄せるのだろうか。このことを調べた興味深い研究がある。[25]

アメリカの心理学者エマ・オルトゲルトらは、4カ月以内に結婚したばかりのカップル計228組（平均年齢は夫30・33歳、妻28・61歳）を集め、標準的なパーソナリティ検査をしたあと、3年間にわたって、6カ月あるいは1年ごとに調査票を送り、自分と相手の浮気について答えてもらった。

この研究の巧妙なところは、新婚早々のラブラブのときから調査を始めていることだ。浮気がバレた（あるいは浮気された）ときに理由を訊けば、「相手がぜんぶ悪い」というに決まっているが、これならどのような性格が浮気と関係しているかを客観的に検証できる。

その結果はというと、「妻の浮気は妻の外向性が高いときに統計的に有意で、夫の浮気は妻の神経症傾向が高いときに有意」となった。

外向的な性格は新しい出会いや強い刺激を好み、浮気しやすいという研究はたくさんある。ではなぜ妻の外向性だけが浮気の指標になるかというと、女が浮気性というわけではなく、男の場合、外向的でも内向的でも同じように浮気するからのようだ（逆にいうと、内向的な妻はあまり浮気をしない）。

妻の神経症傾向が高いと夫に浮気されやすいというのは、「予言の自己実現」で説明される。

悲観的だと自分に自信がなく、「愛されていないのではないか」「浮気されるのではないか」と不安で、つねに夫の行動を監視したり、同僚の女性と食事をしたというような些細なことで取り乱したり、問い詰めたりする。すると夫はそれを煩わしく思い、妻と距離を取り、他の女性に関心を移すようになるというのだ。

夫の神経症傾向が妻の浮気の指標にならないのはなぜだろうか。

これはあくまでも推測だが、進化心理学では、妻は夫の愛情が他の女に移る（自分と子どものための資源を奪われる）ことを警戒し、夫は妻が他の男とセックスする（他人の子どもを育てさせられる）ことを警戒すると考える。

そのため神経症傾向の高い夫でも、妻が会社の同僚や学生時代の男友だちと食事するくらいのことは気にしないが、必要以上に他の男と親しくなると強く嫉妬し、妻の行動を過剰に拘束しようとするかもしれない。これは、一般的には、妻が浮気する可能性を下げるだろう。

あるいは、妻は神経症傾向の高い夫からあれこれ詮索されることを気にするのかもしれない。ジェンダーギャップ（社会的な性差）によって、浮気のコストは夫よりも明らかに妻の方が高い。妻は神経症傾向が高い夫をわずらわしいと思っても、気軽に他の男とつき合うことができないのだ。

それでは、ポジティブな期待の自己実現はどうだろうか。

これについては、ダイエット後のほっそりした姿を思い描いた女性は、ネガティブなイメージを浮かべた女性に比べて体重の減り方が少なく、成績でAをもらうことをイメージした学生は、勉強時間が減って成績が落ちたという研究がある。

こんな残念な結果になったのは、ヒトの脳が幻想と現実を見分けるのが不得意だかららしい。夢の実現を強く願うと、脳はすでに望みのものを手に入れたと勘違いして、努力するかわりにリラックスしてしまうのだ。

「強く願うと夢はかなわなくなる」というのでは希望がないが、その程度の努力でかなう夢などたいしたことないと思えば、すこしは気が休まるのではないだろうか。

31　ベンツに乗ると一時停止しなくなるのはなぜ？

「金持ちは利己的だ」といわれる。自分のことより他人の幸福を優先していては、たしかにお金など貯まらないだろう。

その一方で、「貧乏人は利己的だ」ともいわれる。今日一日分の食べものすらなければ、他人から奪ってでも生き延びるしかない。

どちらが正しいのだろうか？　カリフォルニア大学バークレー校の社会心理学者ポール・ピフらは、この疑問に答えるため、車によって社会階級を5つに分けた。最上層はフェラーリで、最下層は現代自動車（ヒュンダイ）の乗用車だ。次いで、交通量の多いサンフランシスコのベイエリアの道路で、横断歩道の手前で止まって歩行者を渡らせた車を数えた[26]。

その結果、車種によってドライバーの行動が明らかに異なることがわかった。

最下層に分類された車種のドライバーは、一人残らず車を止めて歩行者を優先した。

中間層では、ドライバーの30％が車を止めずに歩行者の行く手を遮った。そして最上層のフェラーリのドライバーは、半分が交通法規を無視して自分の都合を優先させたのだ。

この研究は、「貧しいひとはこころがやさしく、金持ちは傲慢だ」という社会通念が正しいことを証明した――ように思われる。

それ以外にも、同様の結論に達した研究がいくつもある。

スタッフの見ていないところでサイコロを5回振り、出た目の合計を報告すると、数字が大きいほど多くの賞金がもらえる実験では、社会階級が高い参加者の方が合計を水増しし、正当な額より多くの賞金を受け取ろうとした。研究者が困惑したのは、ウソをついた参加者の多くが、自分のごまかしが容易に突き止められると思っていたことだ。それにもかかわらず「非倫理的に振る舞う」のは、バレてもべつにかまわないと思っているからだろう（罰則がないならやったもの勝ちだ）。

それ以外の実験も含め研究者は、「どうやら社会階級の高い人はわざと不誠実に振る舞っているらしい」と結論した。「多くの（社会階級の高い）人が、自分があまり信頼できない人間であることをはっきり自覚しているだけでなく、別にそれでもいいと思っている」ようなのだ。

この研究を知ったとき、知人の会計士から聞いた話を思い出した。医療費控除の申請では、お金持ちの顧客ほど、人間ドックなどの健康診断や美容整形の施術料、漢方薬やビタミン剤の費用など、本来なら控除の対象にならない領収書もすべて記載してくるというのだ。

そのことを会計士が指摘しても、「そのまま提出してください」といわれる。東京など都市部の税務署には大量の医療費控除申請書が送られてきて、限られた人手でそのすべてを細かくチェックすることなどできず、たいていはそのまま通ってしまう。不適切な処理を指摘されたら、「知りませんでした」とその金額を差し引けばいいだけで、罰則があるわけではないのだから、請求できそうなものはすべて載せておくのが合理的だというのだ。

この論理は前述の実験とまったく同じだ。洋の東西を問わず、富裕層は、道徳とか倫理とかにはなんの関心もなく、もっともコスパが高い手段を選択するのだろうか。これは経済学がいう「合理的経済人」そのもので、冷酷にリスクとリターンを計算する者が金持ちになるのだ——。

ところがその後、異なる解釈を示唆する研究が現われた。

参加者を「高い地位」と「低い地位」にランダムに割り振る実験では、低い地位ではウソをついていると面接官に見抜かれる割合が高いが、たまたまボスになっただけの者は、平気でウソをついただけでなく、面接官に「ウソつき」と気づかれることがほとんどなかった。「ちょっとした地位の変化が彼らに自信を与え、利己的なウソつきにした」のだ。

自分のお金でなくても、現金を見るだけで、他人をだます傾向が高まるという研究もある。目の前に余分な現金をたくさん置くと、参加者は自分の得点をごまかして、より多くのお金を獲得しようとした。現金を目立たせると、助けを求められても積極的に支援しなくなるうえ、自分が困難な課題にぶつかったときに、他者に助けを求めるのをためらうようになることもわかった。

これらの研究が示すのは、高級車に乗っている金持ちが利己的で傲慢だというよりも、資産の多寡にかかわらず、ベンツやSUVに乗ると、横断歩道に歩行者がいても一時停止しなくなるらしいことだ。だとしたら逆に、金持ちを軽自動車に乗せると歩行者に親切な運転をするようになるかもしれない。

なぜこんなことになるのだろうか。それはおそらく、お金が人間関係のしがらみから解放してくれるからだ。

醤油や味噌を気軽に近所で貸し借りできる「親密な共同体」を理想化する知識人がたくさんいる。江戸時代の長屋にはたしかにそんな助け合いがあったかもしれないが、それはみんなが貧しかったからだ。だからこそ、それぞれが持っているものをやりくりして、なんとか生きていくしかなかった。

子どもの世話を隣人に頼めるのは、素晴らしいことのように思える。だがそうやって世話になった相手から、「1万円貸してほしい」といわれたらどうすればいいのだろうか。それくらいならと思うかもしれないが、返してくれないどころか、3万円、5万円、10万円と無心の金額が増えていったら……。

この単純な例からわかるように、ベタな人間関係というのはものすごく面倒くさい。だからこそみんな、自分の子どもの世話を近所の知り合いに任せず、保育園という公共サービスを利用するのだ。

ここから、お金持ちと、そうでないひとのちがいがわかる。貧乏だと自分一人では生きていけず、他者や共同体に依存するしかない。こうして、否応なく、他人を信頼するようになる。なぜなら、信頼してくれないひとを助けようとは誰も思わないから。

逆にいえば、お金さえあれば、他者の信頼がなくても困らないから、礼状や返礼のような煩瑣なルールを気にしなくてもいい。「お金ですませる」経済的な取引は、ものすごく快適なのだ。

「現金が視界にあるだけでウソをつくようになる」というのも、ここから説明できる。他者の信頼をつなぎとめるには、あとから告げ口されないように、つねに正直でなければならない。目の前の現金は、そんな「信頼という拘束」を不要にしてくれる。

一連の実験は、「金持ちは利己的／貧乏人は利他的」ということではなく、「誰もが（お金によって）自由になりたがっている」ことを証明したのだ。

なお、金持ちにはたしかに傍若無人なひとがいるものの、自分の評判をものすごく気にするひとも同じくらいいる。誰が動画をアップするかわからないSNS時代には、失うものが多い富裕層ほど品行方正になっていくのではないだろうか。

32 「信頼」の裏に刻印された「服従」の文字

わたしたちはなぜ、他人を信頼するのだろうか？　その答はきわめてシンプルで、「誰かに頼らないと生きていけない」からだ。

だとすれば、自分が無力だと感じているほど、他者を信頼する度合いが高くなるはずだ。研究者はこの仮説が正しいかどうかを、「無反応な聴衆の前でスピーチする」というストレスを与えたとき、信頼がどのように変化するかで調べた。その結果は、ストレスによって（自分は無力だという）社会的な不安が生じると、そうでないときに比べて、相手に協力する割合が50％も高くなった。

自分の無力さをもっともよく知っているのは子どもたちだ。そんな幼児期の信頼を調べた興味深い実験が、アメリカの保育園で行なわれた。[27]

園児たちは、いつも世話をしてくれる（よく知っている）保育士と、はじめてやってきた（見知らぬ）保育士の映像を見せられた。どちらの保育士が好きか訊ねると、当然のことながら、園児たちはよく知っている保育士が好きとこたえた。

次に保育士が、珍しいモノに名前のラベルを貼るテストに挑み、正解か不正解かが示された。このとき、見知らぬ保育士はつねに正しいラベルを貼り、よく知っている保育士はすべて間違えた。

その後園児たちは、知らないモノを見せられ、どちらの保育士にその名前を教えてもらいたいか訊かれた。

3歳の子どもは、テストの様子を見ても、やはりよく知っている保育士を好んだ。ところが4歳児は、よく知っている保育士に答えを訊くのをすぐにやめて、見知らぬ保育士を頼るようになった。

同様の結果は、中高生を対象にした研究でも示されている。

生徒たちに教師の能力（ミスの直し方を示せたか、正しい情報を与えたか、クラスを手際よく導き監督できたか）を質問すると、その回答から学習の習得度を明確に予測できた。その教師が好きか嫌いかは習得度とは関係がなかった。

学習にとって重要なのは、子どもが教師の能力を信頼していることだった。たとえその教師が嫌われていても、多くの生徒から有能だと認められていれば、そのクラスは習得度がもっとも高かった。

これらの実験は、わたしたちが、相手にどのような利用価値があるかを（無意識に）見積もっていることを示している。どれほど親切でも、なんの権力ももたず、たいした能力もないのなら、ほとんど役に立たない。子どもは自分が無力であるからこそ、冷徹に相手の能力を評価しており、それは成長しても変わらない。

どのような能力が重要と見なされるかは時代や社会・文化によって異なるとしても、わたしたちはみな、有能な者に魅力を感じ、無能な者を避けるよう、進化の過程で「設計」されているのだ。

このことは、「学習のパラドクス」とでも呼べる事態を引き起こす。

おもちゃの遊び方を子どもに教える実験で、大人が「自分はエキスパートだ」といったとき、子どもは動作のすべてを忠実に真似た。それに対して、「おもちゃについて何も知らない」といわれたときは、子どもたちは「効率的、知的、そして創造的」に行動した。大人が信頼できなければ自分で考えるしかないのだ。——驚いたことに、生後24カ月の幼児でも実験者の自信を正確に判断することができた。

実験者が先生のような態度をとったとき、子どもたちは指示されたとおりの動作を繰り返して新しいことをやろうとしなかった。子どもはつねに大人の能力を観察しているので、創造的な子どもを育てようとするとき、教育は諸刃の剣になるのだ。

無力な子どもは無条件に親や教師の権威を信頼する。これが「権威主義」の基盤であるのは間違いない。

社会心理学は、権威主義的パーソナリティについて詳細に研究してきた。ユダヤ人へのホロコーストを引き起こしたのは、ドイツ国民の「権威ある者への絶対的服従」と「自分より弱い者に対する攻撃的性格」で、それがヒトラーとファシズムの台頭を許したとされた。

だがその後、アメリカの社会心理学者スタンレー・ミルグラムが、1960年代の「アイヒマン実験」で、「権威への服従」は国民性ではなく、ヒトの普遍的な傾向であることを示した。[28]

この有名な実験では、「記憶と学習に関する科学研究」のためにイェール大学（アカデミズムの権威）に集められたごくふつうのアメリカ人が、研究者の指示するままに、「致死的」とされる450ボルトの電気ショックを「生徒役」に与えた（もちろん生徒役は苦痛の演技をするだけだ）。あまり指摘されないのは、共感力の有無にかかわらず被験者が権威に服従したことだ。

共感力の低い男（43歳の水質検査員）は、「（生徒役が）本当に死んでてもわたしは別に平気だったでしょう。わたしは仕事をやっただけです」と平然と述べた。

だが熱心にボランティア活動を行ない、不良少年を愛情によって導こうとしている大卒の主婦も、「わたくしは、非常事態ではきわめてすばらしい人物ですのよ。だれを傷つけようがおかまいなしに、やるべきことをやります。身震いもしません。でも何も考えずにやります。ためらいもしません」と語っている。

高い共感力をもつ彼女は、実験中「ごめんなさい、もうできません」と自分にいいつづけていたというが、それでも生徒役に450ボルトの電気ショックを3回与えたのだ。

「長いものには巻かれろ」を人生訓にしている人間もいれば、親や教師に反抗する若者もいるだろう。その意味でパーソナリティ（性格）にはばらつきがあるものの、ミルグラムの実験が示すのは、きわめて強い圧力を加えられれば、わたしたち（の大半）は無条件で権威に服従するということだ。なぜなら、それが「人間の本性」だから。

「信頼は大切だ」と、当然のようにいわれる。信頼がなければ社会は成り立たないから間違いではないものの、これはコインの表面（おもてめん）にすぎない。「信頼」と書かれたコインの裏には、「服従」の文字が刻印されている。

日常生活では、わたしたちはみな、他者を信頼しつつ裏切り、服従しつつ反抗するという複雑な社会ゲームをしている。

多くのひとが、「みんなが信頼しあいながら、ちからを合わせて不正義に反抗する」社会を理想とするだろう。だが残念なことに、ヒトが進化の過程でそのように都合よく「設計」された証拠はどこにもない。というより、この世界で起きるさまざまな出来事を見るかぎり、「他者の信頼を裏切り、権威に服従して自分の利益を最大化する」ように、人間は進化してきたのではないだろうか。

「そんなことはない」と自信をもっていえるなら、あなたはきっと、とても幸福な人生を送っているのだろう。

33 道徳の「貯金」ができると差別的になる

食べすぎた翌日は、「もっと節制しよう」と反省する。逆にきびしいダイエットを続けると、いきなり暴飲暴食の反動がやってくる。旅行や買い物で散財したあとは節約を決意するが、仕事が忙しいと「そろそろ自分へのご褒美でも」と思いはじめる。

わたしたちは、無意識にいろいろなことを得か損かで判断し、帳尻を合わせようとしている。人類が進化の大半を過ごした旧石器時代には、会計帳簿をつけて長期的な損益を計算する理由などなく、短期的な利益だけが重要だった。帳尻が合わないことばかりしている個体は子孫を残せず、進化の過程で遺伝子のプールから排除されてしまったのだ。

ここまでは誰もが同意するだろうが、この帳尻合わせは思わぬ領域にまで及んでいるかもしれない。それは「道徳」だ。

わたしたちの社会では、「善（利他的）」はプラス、「悪（利己的）」はマイナスとされている。だとしたら、善をなすと道徳の貯金箱がプラスになるので、次は悪行をしても許されると思い、悪をなすと道徳的にマイナスになるので、次は善行で帳尻を合わせようとするのではないか。

「そんなバカな」と思うだろうが、この仮説は次のような実験で確かめられた。[29]

心理学者のブノワ・モニンらは、プリンストン大学の白人学生（男性50人、女性82人）をランダムに三つのグループに分け、大手コンサルティング会社の採用担当者になったと仮定して、5人の応募者を評価してもらった。各グループの学生に示された履歴書の内容は同じで、有名大学で経済学を専攻し、優秀な成績で卒業した4番目の応募者がもっとも優れていた。異なるのはこの〝スター応募者〟の属性で、第一グループは白人女性、第二グループは黒人男性、第三グループ（対照群）は白人男性にされていた。ほとんどの学生は能力主義のルールに則り、この〝スター応募者〟をもっとも高く評価した。

この課題が終わったあと、被験者の白人学生たちは次の文章を読んだ。すこし長いが、微妙なニュアンスが重要なのでそのまま和訳する。

あなたはアメリカの地方の小さな町の警察署長です。歴史的にその町の人口構成は白人がほとんどで、他の人種に対する町のひとびとの態度は好意的とはいえません。そして残念なことに、これは警察署内部でも同じで、あなたがもっとも有能と思う部下も人種差別的なジョークを口にします。事実、何年か前に黒人の巡査を採用したことがあるのですが、職場でのいやがらせを理由に1年で辞めてしまいました。あなたはこうした状況を変えたいと思っていますが、それよりも優先すべきは警官本来の仕事です。それはこれまでうまくいっており、あなたは警官たちの間に不安を生じさせるようなことをしたくはありません。

さて、今年も新人警官を採用する時期になりました。一般的なルールでは、警察官には、責任感と市民からの信頼、危機的状況のなかで素早い判断ができる知性をもつことが要求されています。さらに近年の不祥事で、道徳的であること、汚職に手を染めないこと、丁重さや冷静沈着さも求められています。あなたは警察学校の卒業生から応募書類一式を受け取りました。この採用にあたって、あなたは特定の人種を優先的に考慮すべきでしょうか。

この課題は、正解がないようにわざとあいまいに書かれている。白人学生たちは、

「治安」と「人種の平等」というやっかいな二者択一を突きつけられたことになる。

この研究が興味深いのは、第一の課題の〝スター応募者〟が誰だったかで、第二の課題の回答にちがいが生じたことだ。

〝スター応募者〟が黒人男性だったグループの学生は、次のより微妙な課題では「警察署長としての職責を考えれば新人を白人警官から選ぶのも仕方がない」とこたえることが多かった。それに対して〝スター応募者〟が白人男性だったグループの学生は、「採用にあたって人種を考慮すべきでない」とこたえる割合が高くなった。

なぜこんなことになるのだろうか。研究者は、黒人男性の応募者を選んだ白人学生は、「人種差別をしなかった」と示せたことで「道徳の貯金箱」がプラスになり、次のより微妙な課題で「人種の平等」を考慮しなくなったのだと説明する。逆に白人男性の応募者を採用した白人学生は、「道徳の貯金」ができなかったため、警察署長役の課題では人種を考慮し、マイナスを挽回しようとしたのだ。

さらに興味深いのは、〝スター応募者〟が白人女性だった場合でも、学生たちは「人種の平等」を考慮しなくなったことだ。「自分は性差別主義者ではない」というアピールが、「人種差別」をも正当化したのだ。

一般に「男は保守的」「女はリベラル」とされていて、前者が「差別的」、後者が「寛容」と読み替えられることも多い。このステレオタイプは世論調査などでも支持されているが、この実験では、男と女で結果にちがいがなかった。名門大学の「リベラル」で「寛容」なはずの白人の女子学生も、「道徳の貯金箱」がプラスになったと思えば、男子学生と同様に「差別的」になった。

この実験では、道徳的な判断を他人が聞いていたときの影響も調べている。

隣に研究助手が座っている条件では、黒人の応募者を選んだことをアピールできた学生と、白人の応募者を選んでばつの悪い思いをした学生では、警察署の採用方針に差が生じた。ここまでは予想どおりだが、不思議なのは、コンサルティング会社の課題が終わったあと、ドアがノックされ、研究助手に急用ができたといって同僚と交代したケースだ。

新しく部屋に入ってきた研究助手は、学生が第一の課題でどう答えたか知らないのだから、「道徳の貯金箱」はリセットされるはずだ。ところが実際には、第一の課題で黒人の応募者を採用した学生は、隣に事情を知らない他人がいても、第二の課題で白人警官を採用すると回答した割合が高かった。

この実験結果は、次のようにまとめられるだろう。

まず、「道徳の貯金箱」は大雑把で、人種やジェンダーにかかわらず、自分がなにかよいことをしたと思えば、自動的にプラスにカウントされるらしい（女性の応募者を採用した学生は、人種差別を気にしなくなった）。善行はなんにでも使えるのだ。

もうひとつは、「道徳の貯金箱」の残高が、他人がそれを知っているかどうかに影響されないこと。相手がどう思おうと、自分が納得できればそれでいいのだ。

世の中には「きれいごと」ばかり並べるひとがいる。一般に「リベラル」と総称されるこのひとたちがうさんくさいのは、公の言動で「道徳の貯金箱」がプラスになっていることで、日常的な場面では帳尻を合わせてもいいと思い、不愉快な言動をするからかもしれない。

「きれいごと」は魔法の呪文と同じで、それを口にしただけでひとを「差別的」にするようだ。

34 「偏見をもつな」という教育が偏見を強める

わたしたちは「善」と「悪」を、（無意識のうちに）損得として計算している。きれいごとをいったり、よいことをすると「道徳の貯金箱」がプラスになって、次は少しくらいヒドいことをしてもいいと思う。逆に、他人から批判されるような言動をしたときは「貯金箱」がマイナスになるので、次は「よいこと」をして挽回しようと思うのだ。

これだけでも「道徳」は一筋縄ではいかないとわかるが、今回はさらに困惑する研究を紹介しよう。

心理学で古典的な「シロクマの実験」は、ある研究者が子どもの頃に聞いたトルストイ（話によってはドストエフスキー）の逸話がもとになっている。

トルストイは「シロクマのことを5分間考えずにいられるか」という賭けを兄にもちかけられ、受けて立ったが、けっきょく有り金すべてを失うことになった。やってみるとわかるが、別のことで気をまぎらわしたり、注意をそらしたりしても、必ず「考えてはいけない」動物の姿が浮かんでくる。

女性の被験者を2つのグループに分け、一方に「チョコレートについて思っていることをなんでも話してください」といい、もう一方には「チョコレートのことはいっさい考えないでください」と指示した実験では、その後にチョコレートを試食させると、甘いお菓子のことを考えまいとした女性は、そうでない女性の2倍ちかくも食べた。これは「皮肉なリバウンド効果」と呼ばれているが、ダイエットに挑戦したひとはみな心当たりがあるだろう。

イギリスの心理学者マクリーらは、これと同じことが教育にも当てはまるのではないかと考えた[30]。

1990年代のイギリスでは、スキンヘッドの若者は極右やネオナチと見なされ、恐れられ嫌われていた。いわば偏見（ステレオタイプ）にさらされていたのだ。

実験の被験者はイギリスの大学生（男女）24人で、スキンヘッドの男の写真を見て、5分間でこの人物の典型的な1日を想像して書くようにいわれた。このとき（ランダムに選んだ）半数には、「他人への印象や評価はステレオタイプによるバイアスに常に影響されている」との心理学の知見を教え、偏見を抑制するよう暗に求めた。残りの対照群には、こうした説明はなかった。

学生たちが書いた文章を第三者が評価すると、「差別をしないように」との指導を受けたグループは、暴力など偏見を感じさせる表現が少なくなっていた。教育の効果が確認されたのだから、ここまではよい話だ。

研究者は続けて、被験者の大学生に別のスキンヘッドの男の写真を見せて、同じく典型的な1日を想像させた。このときはどちらのグループにも特別な指示はなく、思ったことを自由に書かせた。

「教育」なしの対照群では、（当然のことだが）1回目と2回目の偏見のレベルは同じだった。ところが「教育」されたグループでは、2回目の偏見のレベルが大きく上がり、（「教育」なしの）対照群を超えてしまったのだ。

次の実験では、最初の課題を終えた（スキンヘッドの男について想像した）大学生は、「本人が来ているので会ってください」と1人ずつ別室に案内された。部屋には椅子が8つ並んでいて、いちばん端にデニムジャケットとバッグが置いてある。実験者は学生に、「たぶんトイレで、彼はすぐに戻って来るから、好きなところに腰かけて待っていてください」と告げた。

これは心理実験でよく使われるトリックで、スキンヘッドの男などおらず、被験者がどこに座るのかを見るのが目的だ。偏見が強いほど、無意識に物理的な距離を取ろうとするだろう。結果はというと、ステレオタイプについての「教育」を受けたグループは、そうでないグループよりも遠くの椅子に座った。

この不都合な結果を確認するダメ押しの実験も行なわれている。被験者の大学生は、今度はパソコンに表示される文字列を見て、単語か単語でないかを瞬時に判断する課題をした。単語のなかには、「パンク」「暴力」など、スキンヘッドのステレオタイプを紛れ込ませておいた。すると「教育」を受けたグループの方が、こうした言葉を素早く認識し反応したのだ。

なぜこんなことになるのか。これは「シロクマ効果」の一種で説明できるだろう。「偏見をもつな」といわれると、（無意識に）偏見について考えてしまう。それを意識によって抑制するのだが、これは意志力を消耗させるので、作業が終わったとたん、抑え込んでいた偏見が表に出てきてしまうのだ。こちらは「思考抑制のリバウンド効果」と呼ばれている。

偏見をもたないよう教育すると、かえって偏見が強くなってしまうなら、差別について教えるのをやめた方がいいのか。もちろんそんなことはないが、それが必然的に、差別や偏見を過剰に意識させる効果をともなうことは知っておくべきだろう。

アメリカでは、「肌の色で差別してはならない」という教育が小学校から徹底して行なわれる。すると10歳にならないうちに、子どもたちは極端な反応を示すようになる。

大人のなかに子どもが1人だけいる、あるいは男の子のなかに女の子が1人だけいる絵を見せると、生徒はそれがどのような集団かをすぐに説明できる。ところが、白人のなかに黒人が1人だけいる絵を見せると、黙り込んでしまう。なぜなら、「人種」について言及してはならないと教えられているから。はたしてこれで、人種差別はなくなるのだろうか。

人種や性別などの属性ではなく、一人ひとりの個性で評価・判断すべきだという「カラー/ジェンダーブラインド」は、いまやリベラルな社会の黄金律になっているが、これを徹底するとすべてが「自己責任」になる。「黒人だから」とか「女だから」などの属性をいっさい考慮してはならないのだから。

その結果近年では、マイノリティの側から、「ブラインド戦略は（白人や男など）マジョリティに都合のいい責任逃れだ」との批判の声があがるようになった。社会のなかで制度的な不利益を被っているグループが存在する以上、「黒人」「女」「性的少数者」などの属性から目をそらしてはならないというのだ。

しかしそうなると、個人としてはちがいがないにもかかわらず、集団としてのちがいは重視しなくてはならなくなる。人種問題では、肌の色で差別してはならないが、「社会的構築物としての人種」で対応を変えるべきだ。同様に学校や会社では、女子学生や女性社員を「個人」として評価する一方で、「女性というジェンダー」への配慮が求められることになるだろう。

「差別のないよりよい社会」をつくるうえで、こうした「政治的正しさ」は必要だと思うが、「道徳の貯金箱」や「思考抑制のリバウンド効果」を考えると、はたしてこんな複雑なことがうまくできるだろうか。正直、私はあまり自信がない。

35　共同体のあたたかさは排除から生まれる

10年ほど前まで、中国を頻繁に旅行していた。チベット、新疆、内モンゴルから旧満州まで、ほとんどの観光地を訪れたので（中国人の旅行ガイドに「そんな奴は俺の知り合いにもいない」と驚かれた）、それ以降はすこし足が遠のいている。

いつも個人旅行だが、ときどき現地でツアーに参加した。外国人向けのツアーだと土産物店を連れまわされるのにうんざりして、いつしか中国人向けの国内ツアーを利用するようになった。

私は中国語をひと言も話せないが、ガイドは片言の英語を話すのでなんの問題もない。外国人ツアーに比べて格安なのも魅力だが、効率的に観光名所を回れるし、いろいろ興味深い体験もできた。

そのとき不思議に思ったのは、たとえば昼食のレストランで、ちょっとしたことでみんなの態度が大きく変わることだ。

ガイドが「ここでランチです」と店に案内するだけだと、誰も私のことを気にかけてくれないので、見よう見真似でなんとかするしかない。ところが、「あなたたちはこのテーブル」とグループ分けされたとたん、誰か（たいていはおばさん）が私の代わりに店員に注文したり、おかずをよそったり、かいがいしく世話してくれるのだ（普通話も話せない田舎者と思われたらしい）。

こうしてできたつながりはツアーのあいだ続き、「寺では帽子を取りなさい」とか、「靴はここで脱いで」などと身ぶり手ぶりで教えてくれるし、集合時間に遅れないように気にかけてもくれた。

中国人が親切（というより、おせっかい）ということはあるだろうが、わたしたちがごく自然に「身内びいき」をすることは、1960年代から社会心理学のさまざまな研究で明らかにされてきた。

有名なのは小学校教師ジェーン・エリオットが行なった「青い目／茶色い目」実験で、クラスの小学生を目の色でグループ分けすることで、簡単に「差別」をつくりだせることを示した。

その後、社会心理学者のヘンリ・タジフェルらが、抽象画ではパウル・クレーが好きか、ワシリー・カンディンスキーが好きかでグループ分けしたところ、このなんの意味もない「最小条件集団」でも、被験者は自分と同じグループに多くの報酬を分け与えた。さらにコイン投げの裏か表かでグループを決めたところ、やはり「身内びいき」が観察された。

わたしたちはどんな理由でも（あるいは理由などなくても）、グループ分けされたとたんに、たちまち「内集団」を形成し、そのメンバー（俺たち）に対して、「外集団」（奴ら）よりずっと親切に振る舞う。

リベラル化する社会では、教会や町内会などの中間共同体が解体して、一人ひとりがばらばらになっていく。こうした個人主義に抵抗する政治思想は、コミュニタリアニズム（共同体主義）と呼ばれる。「古き良きアメリカ」とか「日本の伝統」などに重きを置く保守派が典型だが、リベラルのなかにも共同体主義者は多く、自助や公助だけでなく、「共助」の大切さを強調する。

だがこのひとたちは、共同体（コミュニティ）が内集団そのものであることにはほとんど触れない。彼らが大好きな「人情」や「ぬくもり」、あるいは「誇り」や「自己犠牲」は、進化の過程でヒトの脳に埋め込まれた向社会性、すなわち「身内びいき」から生まれるのだ。

内集団が成立するには、原理的に、外集団が存在しなければならない。家族や地域、学校や会社、国家や民族などの共同体からもたらされる安心感やあたたかさは、共同体のメンバーでない者を排除することから生じる。保守であれリベラルであれ、すべての共同体主義は「排外主義」の一形態なのだ。

チンパンジーなどの近縁種と比べて、とてつもなく大きな社会を形成するヒトは、進化の過程で暴力を抑制し、温和になっていった。チンパンジーは知り合いだけの数十頭の群れで暮らし、知らない相手を攻撃する。これは群れをつくる動物に共通の特徴で、スターバックスで他人と隣合わせになっても殺し合いにならないのは、自然界ではものすごく特殊なことなのだ。

現代の進化論では、ヒトが内集団に対してやさしくなることと、外集団に対して残酷になることは、同じコインの裏表だと考える。外集団との抗争に敗れて皆殺しにされないためには、内集団の結束を固めなくてはならない。仲間との絆は、仲間でない者たちを排除し、限りある資源を確保するために進化した。

およそ6万年前にアフリカを出たホモ・サピエンスの一団が、中近東やヨーロッパでネアンデルタール人と出会い、その後、この先住民が絶滅したことはよく知られている。

近年の遺伝人類学の大きな発見は、わたしたちの祖先がネアンデルタール人と交わっていたことだ。サハラ以南のアフリカ以外の系統のすべてのヒトは（もちろん日本人も）、ネアンデルタール人の遺伝子をわずかに持っている。

それればかりか、ユーラシア大陸の東部にデニソワ人という別の先住民がいて、やはりサピエンスと交わったあとに絶滅していたことがわかった。そのデニソワ人は、原人（北京原人など）と遺伝的に交配していた。[31]

チンパンジーは他の群れと遭遇すると、オスと乳児を殺し、メスを群れに加える（授乳しなくなったメスは生殖可能になる）。だとしたらサピエンスも同様に、ユーラシア大陸で出会った先住民の男を殺し、女を犯したのではないか。

人類の歴史の大半は「リベラル」ではなかったのだから、弱い集団が強い集団に絶滅させられ、その遺伝子の痕跡だけが残ることが頻繁に起きたのだろう。その軌跡はいま、古代骨のDNA解析で明らかにされつつある。

人類の歴史のなかで内集団の規模は拡大し、近代以降は基本単位が国家になった。だが残念なことに、内集団が外集団を必要とする以上、「人類という家族」になることはない。

ヤクザの抗争から宗教戦争、戦国時代の合戦まで、殺し合いがもっとも残酷になるのは、遠く離れた集団同士ではなく、近親憎悪だ。日常的に接触のない相手は脅威にはならず、同盟や交易をした方がお互いにメリットがある。

ルワンダの虐殺では、ツチ族とフツ族は同じ土地で暮らし、同じ言葉を話し、文化と宗教を共有していた。旧ユーゴスラヴィアはもともと「南スラヴ人の国」だったが、凄惨な内戦の結果、分裂した。

ロシア（ルーシ）は、8世紀末に現在のウクライナに興った東スラヴ人の国（キーウ・ルーシ）に始まる。その後、ウクライナは国民国家への道を歩むが、ロシアの保守派とプーチンにとっては、そこは自分たちの歴史の一部なのだろう。

人類はいまだに進化の呪縛にとらわれていて、だからこそ、いつになっても同じ愚行を繰り返すのかもしれない。

36　愛は世界を救わない

近年、「共感」の重要性がますます強く唱えられるようになった。みんなが高い共感力をもてば、戦争や差別など多くの深刻な問題が解決するのだという。

だがこの楽天的な主張は、二つの疑問に答えなくてはならない。一つは、「共感力は高められるのか」で、もう一つは、「共感力を高めれば、ほんとうに社会はよくなるのか」だ。

最初の質問への答は、「いまはできないが、将来的には可能だろう」になる。

わたしたちの脳は、さまざまな神経伝達物質やホルモンによって駆動している。ドーパミンが報酬系を活性化させて「どうしても手に入れたい」という渇望を生み出すことや、性ホルモンのテストステロンが攻撃性や競争、性的欲望に関係することはよく知られている。

オキシトシンは共感にかかわる神経伝達物質で、「愛と絆のホルモン」とも呼ばれる。

女性では子宮頸部への刺激によってオキシトシンが分泌され、性交でオーガズムに至ると相手への愛着が形成される（男性では射精時に分泌される）。妊娠した母親の脳は高濃度のオキシトシンに晒され、出産時には子宮頸部が強く刺激されることで大量のオキシトシンが放出される。オキシトシンは授乳によっても分泌されるから、これによって母と子の愛着が「生理学的に」つくられていく。

恋人同士や親子だけでなく、オキシトシンは他者との共感もはぐくむ。

匿名のパートナーに金銭を一時的に預ける実験では、被験者の鼻にオキシトシンを噴霧すると、パートナーをより信用して高額を預けるようになった。これとは逆に、相手の信頼を感じるとオキシトシンの濃度が上がることもわかっている。人間は徹底的に社会化された動物で、他者と共感しあうように脳を進化させてきたのだ。

共感の基礎に生理学的な要因（オキシトシンという神経伝達物質）があるのなら、教育によって共感を高める努力には限界がある。意志のちからで共感力をもつようにするのも難しそうだ。

社会には生得的に共感力が高い者と低い者がいて、幼児期に環境の影響を受けたとしても、思春期以降はその傾向はほぼ変わらない。オキシトシンの濃度は女が高く（共感力も高い）、男が低い（共感力も低い）という性差も顕著にある。これは、テストステロン（「男性ホルモン」とも呼ばれる）がオキシトシンの効果を抑制するかららしい。とはいえ、脳内のオキシトシン濃度を手軽に高める手法の開発はさほど難しいものではないだろう。

そこで次の問題は、「誰もが一日に数回、オキシトシンを摂取するようになると、いまよりずっとよい世の中になるのか」だ。このことを調べたのが、オランダの心理学者カルステン・ド・ドルーたちのチームだ。[32]

トロッコ問題は「道徳のジレンマ」として知られている。

——暴走するトロッコの先には5人の作業員がいる。それに気づいたあなたの横には分岐点の切り替えスイッチがあり、それを使えばトロッコの進路を変えることができる。ところがその線路にも1人の作業員がいて、大声を出しても気づかず、あなたにできるのは切り替えスイッチを押すことだけだ。あなたは1人を犠牲にして5人を救うべきか？

この思考実験には多くの哲学者が挑戦し正解はないが、ド・ドルーらはこれにちょっとした工夫を加えた。5人を救うとき犠牲になる作業員に名前をつけたのだ。ここではそれを、ペイター（オランダ人）、アフメド（アラブ人）、ヘルムート（ドイツ人）の3つのグループとしよう。

被験者は全員がオランダ人の男性で、ペイターが内集団（俺たち）、アフメドとヘルムートが外集団（奴ら）になるが、アラブ人よりドイツ人に親近感があるだろう。こうしてつくられた内集団と外集団で、切り替えスイッチを押すかどうかの選択が変わるのかを調べるのが実験の目的だ。――スイッチを押せばペイター／アフメド／ヘルムートは死ぬが、国籍不明の作業員5人は助かる。

その結果はというと、ペイター（オランダ人）とヘルムート（ドイツ人）では差はなく、ペイターとアフメド（アラブ人）でもわずかに（オランダ人を助ける）内集団びいきが見られただけだった。リベラル化したいまのオランダ人は、人種や国籍でほとんどひとを差別しないのだ。

ここまではよい話だが、研究者は次に、被験者に「愛と絆のホルモン」であるオキシトシンを噴霧してみた。すると今度は、ヘルムート（ドイツ人）よりペイター（オランダ人）の生命を助ける割合がすこし高くなった。だが驚いたのは、アフメド（アラブ人）よりペイターの生命を救おうとする割合がものすごく高くなったことだ。

この結果からド・ドルーらは、「オキシトシンは内集団びいきの郷党的な利他主義者にする効果がある」と結論した。敵対する集団にそれぞれオキシトシンを噴霧して「愛情」を高めると、かえって対立が激化するのだ。

この実験が示すのは、オキシトシンが外集団（奴ら）に対する憎悪を煽ることではない。オランダ人の被験者はアラブ人への敵意からではなく、自分たちのメンバー（ペイター）への「愛と絆」が増したことで、結果的に排他的になったのだ。

ヒトは旧石器時代から、部族に分かれて限られた資源を争ってきたのだから、すべてのひとへの共感＝愛が進化したとは考えにくい。

共感力の負の効果は、「致命的な病気にかかり、苦痛を緩和するための治療を受ける順番を待つ10歳の少女」の記事を読ませるという別の実験でも確認されている。

このとき、たんに「何をすべきか」を訊かれた被験者は、治療を必要とする他の子どもたちがいる以上、少女を特別扱いして先頭に割り込ませるべきではないと答えた。ところが、少女がどう感じているかを想像するよう促すと、同じような病気で治療を待つ他の子どもたちを差し置いて、少女を先頭に割り込ませることが多くなった。共感を高めたことで、被験者は公正さを無視し、道徳に反する判断をするようになったのだ。

なぜこんなことになるかというと、共感の効果がスポットライトのようなものだからららしい。熱愛中の恋人同士や、幼い子どものいる母親は、愛着の対象に強いスポットライトが当たっているので、その周囲がよく見えなくなる。このスポットライトは内集団や（かわいい）子どもに向けられやすい。だからこそ人為的に共感を高めると、同じ国籍の作業員を助けようとしたり、たまたま記事を読んだだけの少女の治療を優先させようとするのだ。

共感はもちろん素晴らしいもので、それを否定するつもりは毛頭ない。親しくつき合うなら、相手の気持ちがわからない〝冷たい〟サイコパスより、共感あふれる〝あたたかな〟ひとの方がいいに決まっている。

とはいえこうした実験は、「愛は世界を救う」のではなく、「愛」を強調すると世界はより分断されることを示しているようだ。

PART V　すべての記憶は「偽物」である

37　トラウマ治療が生み出した冤罪の山

1980年代のアメリカで奇妙な事件が頻発するようになった。子ども（ほとんどが成人した娘）がある日突然、幼い頃に性的虐待を受けていた記憶を回復し、実の親（ほとんどは父親だが、母親が共犯の場合もある）を訴えたのだ。

なかには、両親が悪魔崇拝の儀式に参加し、25人かそれ以上の赤ん坊の手足を切断して生贄とし、娘の胎内にいる赤ん坊をハンガーで掻き出し、手足をもぎとった胎児の血みどろの死体を娘の裸の身体にこすりつけたという告発もあった。

驚くのは、アメリカの裁判所が、なにひとつ物的証拠がないにもかかわらず、荒唐無稽な証言だけを根拠に有罪を宣告したことだ。こうして多くの父親が投獄され、全米を揺るがす「記憶戦争」が幕を開けた。

第二次大戦後、とりわけベトナム戦争の精神的後遺症に苦しむ帰還兵が大量に現われたことで、心因性の大きなショック（トラウマ）がさまざまな精神疾患を引き起こすという理解が広まった。これがＰＴＳＤ（心的外傷後ストレス障害）だ。

するとここから、患者がうつなどの精神的な症状で苦しんでいるのなら、その背景には、なんらかのトラウマがあるに違いないという「逆転」の発想が生まれた。幼い頃の過酷な出来事が〝抑圧された記憶〟というトラウマとなり、成人した後になっても多くの女性を苦しめているというのだ。

この主張が広く受け入れられたのは、その圧倒的なわかりやすさにある。子ども時代に繰り返し性的虐待を受け、こころに深い傷を負ったものの、「このことをけっして口外してはならない」ときびしくいわれ、その記憶は封印されてしまった。だが〝傷〟は大人になっても生々しく残り、それがうずくたびに精神的な混乱に襲われ、やがて社会生活が破綻してしまう……。「そうか、わたしの人生がなにもかもうまくいかないのは、抑圧された記憶のせいなんだ！」

いうまでもなくこれは、「ひとは受け入れがたい記憶や欲望を無意識に抑圧している」という〝俗流〟精神分析理論の焼き直しだ。うつや神経症の背後には幼少期の性的外傷が隠されており、この症状は〝抑圧された記憶〟を回復することでしか消すことはできないのだという。

この理論を受け入れたセラピストたちは、催眠療法やグループ療法で患者の「記憶」を回復し、〝ほんとうの自分〟を取り戻すべきだと主張しはじめた。それればかりか、トラウマ体験を思い出した〝被害者〟に〝加害者〟である親を訴えるよう促した。

1980年に出版された『ミシェルは覚えている』では、催眠療法を受けてトランス状態だったときに抑圧されていた記憶が蘇ったとする30歳の女性が、「幼児期に悪魔崇拝カルトによって性的虐待を受けた。母親もカルトの一員だった」と告発し、センセーションを巻き起こした。この本が出版されてから約3年間で、「託児所が実は悪魔崇拝カルトの一員で、預かった子供たちに性的な虐待を行っていた」という訴訟が全米で100件以上提起された。

88年に出版され発売後数年間で75万部を超えるベストセラーとなった『生きる勇気と癒す力』では、「性的虐待を受けたという記憶が蘇ってから3年以内であれば訴訟を起こすことができ、和解金の範囲は2万ドルから10万ドル」という弁護士のコメントと、こうした訴訟を専門とする弁護士の連絡先リストが掲載されていた。

きわめつきは、「ヒロインが子供時代に使ったベッドに寝転んだときに、父親から性的虐待を受けていた記憶が蘇る」という物語仕立ての『広い場所』が92年のピューリッツァー賞を受けたことだった。それからの3年で「蘇った記憶」の訴訟はピークに達し、年間100件を超えるようになった。[33]

記憶回復療法が全米で大ブームを巻き起こすと、一部の専門家から疑問の声があがりはじめた。

だが当初、彼らは「蘇った記憶」を支持する一派から「幼児と女性に対する犯罪を擁護する学者たち」としてヒステリックな抗議を浴びた。とりわけ、記憶研究の大家で記憶回復療法を厳しく批判したエリザベス・ロフタスは「懐疑派」の筆頭とされ、殺害の脅迫状が送りつけられるなど、一時は身辺警護のためにボディガードを雇わなければならないほどだった。

ロフタスは、催眠療法は抑圧されていた記憶を取り戻すのではなく、記憶を捏造しているのだと主張した。そして、きわめて簡単な方法で偽りの記憶を埋め込めることを実証してみせた。それが「ショッピングセンターの迷子記憶実験」だ。

ロフタスの学生の一人は、14歳の弟に子どものときに起きた出来事を4つ示し、それについて思い出したことを毎日、日記に書くように求めた。そのなかに、5歳のときにショッピングセンターで迷子になったというつくり話をまぎれ込ませておいた。

すると弟は、早くも1日目の日記で「親切なおじさん」を思い出し、数週間後には、そのおじさんが青いフランネルのシャツを着ていたことや、頭がすこし禿げて眼鏡をかけていたことなど、細部を説明するまでになった。

兄から、ショッピングセンターで迷子になった記憶が偽りだと告げられても、弟は信じようとしなかった。それに対して、実際に起きた出来事の1つは、最後までまったく思い出せなかった。[34]

なぜこんなことになるのか。それは記憶が、パソコンのハードディスクに保存されているようなものではなく、流動的でつねに書き換え可能だからだ。

誰でも子ども時代に迷子になって不安に思ったことや、家族と一緒にショッピングセンターに行った思い出があるだろう。すると、実際に起きていない出来事であっても、ちょっとしたきっかけで、こうした記憶の断片が簡単に結びついてしまう。だが被験者は、この過程を「忘れていた記憶が蘇った」と体験するため、捏造された記憶が〝事実〟になってしまうのだ。

ロフタスの研究につづき、認知心理学者たちが次々と「記憶はつくりだせる」という研究を発表した。子ども時代の写真を加工するなどして視覚に訴えると、とりわけ効果的なこともわかった。

なんらかの理由で社会生活に失敗し、精神的に苦しんでいる女性がいたとしよう。そんな彼女は、なぜ自分だけがこんなにつらい思いをしなければならないのか、その理由を必死に探している。トラウマ理論に影響を受けたセラピストたちはこの過程に介入することで、いとも簡単に偽りの記憶を埋め込み、とてつもない災厄を引き起こしたのだ。

記憶回復療法が似非科学であることが明らかになり、幼児虐待などで懲役刑に処せられていた被告らが再審で逆転無罪になると、こんどは父親が娘を訴えるなどの事例が続発した。記憶を修復すると喧伝するオカルト心理学は、多くの家族を修復不可能なまでに破壊してしまったのだ。

欧米から「輸入」されたトラウマという概念が日本でも大流行している。幼児期の虐待の訴えだけでなく、娘が母親を「毒親」と批判するのも珍しくなくなった。だが、記憶が頻繁に書き換えられているという近年の知見は、従来の常識に疑問を突きつけている。

もちろんこれは、「トラウマは虚偽記憶」ということではない。そもそも記憶とは何か、という問題なのだ。

38　アメリカが妄想にとりつかれる理由

ドナルド・トランプとヒラリー・クリントンが争った2016年の米大統領選挙の最中、ワシントンDCのピザ店を拠点に民主党関係者が児童の人身売買や売春を行なっているとの陰謀論がSNSで拡散された。これが「ピザゲート」として有名になったのは、この荒唐無稽な話を信じた男がライフルを持ってピザ店に押し入り、発砲騒ぎを起こしたからだ。男は、虐待されている子どもたちを救おうとしたのだと述べた。

児童虐待の噂は、幼い子どもや孫をもつひとたちを大きな不安に陥れるので、しばしばアメリカ社会に混乱を引き起こしてきた。

1980年代には、託児所で性的虐待が行なわれているとの告発が大論争を巻き起こした。発端は1人の母親が、4歳半の男児の夜尿や、幼い従妹と性的な遊びをしていたことに不安を募らせたことだった。彼女の弟（叔父）は子ども時代に性的ないたずらをされ、そのトラウマをずっと引きずっていた。

そこで母親と叔父は、託児所でなにか不適切なことをされたのではないかと男児を問い詰めた。最初は否定していたが、やがて託児所の男性保育士に「パンツを下げられた」と告白した。

母親がそれを社会福祉局に通報すると、その3日後に保育士は強姦容疑で逮捕された。この話がメディアで報じられると、他の保護者にも動揺が広がった。警察が親たちに、虐待があったかどうかを繰り返し、粘り強く子どもに訊ねるよう求めると、「裸のプールパーティがあった」「悪い道化師に〝魔法の部屋〟に連れていかれた」「肛門に12インチ（約30センチ）の肉切り包丁を挿入された」などの証言が次々に集まった。その結果、男性保育士と同じ託児所で働いていた彼の母親と妹も相次いで逮捕され禁錮数十年の有罪判決を受けた。

3人は犯行を強く否定したものの収監され、裁判所が「不適切な聴取および捜査方法」を理由に母親と妹を仮釈放するまで8年かかった。男性保育士の有罪判決は覆されず、18年後に仮釈放された。

なぜこんな異常なことが起きたかというと、子どもへの犯罪は処罰感情がきわめて強く、警察は「悪」を摘発して市民の期待に応えようとし、裁判所は世論の反発を恐れて、冤罪の可能性を検討できなくなるからだろう。

アメリカではこの当時、退行催眠で子どもの頃の抑圧された記憶にアクセスし、親からの性的虐待などのトラウマ体験を蘇らせる精神療法が大流行していた。これによって多くの親が、身に覚えのない虐待や「悪魔崇拝」で投獄される事態を招いた。

不思議なのは、こうした異常な事態は日本はもちろん、フロイトの本場のドイツ・オーストリアや、精神分析が普及したフランスでも起きていないことだ。アメリカだけがなぜ、繰り返し妄想にとりつかれるのだろうか（ただし英語圏のイギリスでは、記憶回復療法のセラピストが同様の事態を引き起こした）。

これについて有力な説明は、「アメリカは妄想的な人間が集まってつくった国だから」というものだ。

宗教弾圧を逃れて命がけで大西洋を渡ったピルグリム・ファーザーズは、17世紀当時のヨーロッパの平均的な母集団から選ばれたわけではない。その後も多くの者たちが新大陸を目指したが、彼らを駆り立てたのは「夢と冒険」だ。保守的で堅実なひとたちは、なにもかも捨てて新天地に移住しようなどとは思わないだろう。

双極性障害（躁うつ病）の有病率は世界全体でおよそ2・4％だが、アメリカ国民の有病率は4・4％で世界でもっとも高い。

双極性障害をスペクトラム（連続体）と考えれば、重度から軽度にかけて大きく4つのタイプに分類できる。[35]

①双極Ⅰ型：うつ状態と躁状態がはっきりとした精神疾患で、典型的な躁うつ病。
②双極Ⅱ型：うつ状態は重度だが、躁は軽躁状態と呼ばれる比較的軽いものになり、場合によっては単極性のうつ病と区別が難しい。
③気分循環症（サイクロサイミア）：軽躁状態と軽いうつのサイクルで、社会生活には問題ないものの、周囲からは「気分が変わりやすい」と思われる。
④発揚気質（ハイパーサイミック）：うつ状態のない軽躁状態が続くことで、「活動過多（ハイパー）な性格」とされる。

ハイパーサイミックは、「陽気で気力に溢れ、ひょうきんで過度に楽観的で、過剰な自信を持ち、自慢しがちで、エネルギーとアイデアに満ちている」「多方面に広く関心を向け、なんにでも手を出し、おせっかいで、あけっぴろげでリスクを冒すのを厭わず、たいていはあまり眠らない。ダイエット、恋愛、ビジネスチャンス、さらには宗教といった人生の新たな要素に過剰に熱中するが、すぐに興味を失う。しばしば偉業を成し遂げるが、一緒に暮らすと苦労する相手でもある」とされる。これはアメリカ人の自画像そのものだ。

アメリカ人の躁うつ病（双極I型）の罹患率が25人に1人だとすれば、ハイパーサイミックは10人に1人、あるいはもっと多くても不思議はない。彼ら／彼女たちはモチベーションが高く、創造性にあふれ、リスクを冒して大胆な行動をとるので、社会的・経済的に成功しやすい。

だが、よいこともあれば悪いこともある。一つは、ハイパーサイミックは躁うつ病へと至る連続体で、強いストレスが加わると（より重度の）サイクロサイミアから双極II型に移行するかもしれない。このことは近年、経済格差の拡大するアメリカでうつ病が急増し、大きな社会問題になっていることと符合する。

もう一つは、妄想（パラノイア）につながる負の側面があること。アメリカは建国以来、至るところで「ファンタジー（魔術思考）」が噴出し、セーラムの魔女裁判から宇宙人に誘拐されたという「ＵＦＯアブダクション」、記憶回復療法によって告発された悪魔崇拝など、しばしば「狂乱」に陥ってきた。[36] 世界は「ディープステイト（闇の政府）」に支配されているというQアノンの陰謀論や、「選挙は盗まれた」としてトランプ支持者が米連邦議会議事堂を占拠した事件は、その最新のヴァージョンだ。

これに関して興味深いのは、日本人の双極性障害の有病率は0・7％ほどで、世界でもきわめて低いことだ。そうなると裾野を形成する双極Ⅱ型やサイクロサイミア、ハイパーサイミックの割合も低くなるはずだ。

だがその一方で、日本人の自殺死亡率はあいかわらず先進国のなかでは（韓国に次いで）もっとも高く、アメリカと同様、うつが大きな社会問題になっている。

あくまでも私見だが、これはアメリカが「軽躁社会」で、日本がメランコリー型うつ病（単極性うつ病）に罹患しやすい「抑うつ社会」だと考えれば、うまく説明できる。

日本人は内向的で神経症傾向が高く、改良は得意だがイノベーションが苦手で、時刻表通りに電車が運行しないと許されず、感染症は「同調圧力」で対処する。

個人でも社会でも、目に見えるちがいの背景には遺伝的・生物学的基盤がある。これをわたしたちは個性や国民性と呼ぶのではないだろうか。

39　トラウマとPTSDのやっかいな関係

わたしたちはつねに、因果関係を探している。これは脳の「基本設計」で、なにか悪いことが起きると、そこには原因があるはずだと（無意識に）考える。なぜなら、理由もなく不吉なことに出合うのはものすごく不気味だから。神話や宗教などは、この「実存的不安」を抑えるためにつくられたのだろう。

リベラルな社会では子どもへの暴力が忌避され、幼児がひどく怯えたり、性的なことに関心を示すと、虐待が疑われるようになった。

そこで研究者が、実際に性的虐待を受けた子どもたちを調べたところ、33％になんらかの恐怖心があり、53％にPTSD（心的外傷後ストレス障害）の一般的な症状が、28％に不適切な性行動が見られた（重複あり）。だがその一方で、対象となった子どものおよそ3分の1にはなんの症状もなかった。

この結果は、同じような虐待を受けても、それが精神医学的な症状につながるケースと、そうでないケースがあることを示している。研究者は、「『性的虐待を受けた子どもの症候群』というものは存在せず、心に傷を負ったあとの過程はひとつではない」と述べている。

性的虐待と心理的な症状のあいだに単純な因果関係がないのなら、特定の症状を一律に性的虐待の結果と見なすことはできない。だがアメリカでは、この思い込みから、無実のひとが長期にわたって投獄される悲劇が繰り返し起きている。

「辛い体験の記憶（の痕跡）が心理的な症状を生み出す」という因果論は、ほんとうに正しいのか。

高所恐怖症は、子どもの頃の転落体験が無意識に「内面化」されたのだと考えられていた。この仮説を検証するためにニュージーランドの研究者は、5歳から9歳までのあいだに転落によるケガをしたことのある子どもたちを探し出し、転落体験のない子どもたちと比較した。

その結果はというと、子ども時代に転落を経験したグループでは、18歳になった時点で強い高所恐怖をもつ割合は2％だったのに対し、転落を経験していないグループでは7％だった。仮説とは逆に、転落体験のある子どもの方が高所恐怖症になりにくかったのだ。

なぜこんなことになるのか。それは因果関係が逆だからだ。「転落を経験する→もう一度転落したらと考えて、高いところが怖くなる→高所恐怖症になる」のではなく、「もともと不安を感じにくい→高いところを怖がらないので転落を経験する→〝不安の欠如〟は変わらないので、大人になっても高所恐怖症にはならない」だったのだ。

ＰＴＳＤも同様に、単純な因果関係では理解できない。

デトロイトにある健康維持組織の会員１００７人を対象にした調査では、対象者のうち39％がトラウマ体験をしたことがあり、そのうち24％はＰＴＳＤを発症した。ＰＴＳＤ患者は、発症しなかったひとたちに比べて、幼年期の両親との別れの経験や不安障害の家族歴、ＰＴＳＤ発症以前の不安障害やうつ病の経験がある割合が高かった。

この研究が興味深いのは、同じ対象者を3年後にもう一度調査していることだ。すると、全体の19％が3年間で新たなトラウマ的出来事を体験しており、そのうち11％がＰＴＳＤを発症していた。より詳しく調べると、「ＰＴＳＤを発症する予測因子のうちもっとも強いものは、トラウマ的出来事を過去に体験していること」だとわかった。

これをわかりやすくいうと、「たまたま（不幸にして）トラウマ的出来事に遭遇したひとがＰＴＳＤになる」のではなく、「もともとトラウマ体験をもちやすいタイプがあり、このひとたちは子ども時代も大人になってからもトラウマ体験をする確率が高く、ＰＴＳＤになりやすい」のだ。[37]

トラウマ体験をしやすいパーソナリティは、性格分析のビッグファイブでいう「外向性」と「神経症傾向」だとされる。外向性が高いと、強い刺激を求めてリスク行動をとりやすい。神経症傾向が高いのは「悲観的」なタイプで、あらゆる出来事をネガティブに解釈する。この組み合わせによって、「辛い思いを感じやすいひとが、もっともトラウマを体験しやすい」という残酷なことになってしまうのだ。

アメリカの調査では、およそ90％が人生のどこかの時点で潜在的トラウマ体験に遭遇し、その8・3％は人生のどこかでＰＴＳＤと診断されるほどの症状が現われた。ＰＴＳＤの罹患率は国や文化によってかなりのちがいがあるが、この病名がもっとも普及したアメリカでも、トラウマになるような経験をした10人のうち9人はＰＴＳＤを発症することはないようだ。

近年の心理学では、レジリエンス（反発力）が注目されている。がんのサバイバーが典型だが、困難な状況を乗り越えると、人間的により成長したり、ストレスに強くなったりする場合があるという（「トラウマ後成長」とも呼ばれる）。

だがこれも、努力や訓練によってレジリエンスを獲得したというより、もともと神経症傾向が低い（楽観的な）ひとが、トラウマ体験を成長につなげているのではないか。

すべてが遺伝で決まるわけではないが、行動遺伝学は、人生のあらゆるところに遺伝の長い影が落ちていることを半世紀かけて明らかにしてきた。「生得的にトラウマになりやすいひとと、なりにくいひとがいる」という事実を、もはや否定することはできないだろう。

「トラウマ体験は実際に起きた出来事なのか」という疑問もある。タイムマシンがない以上、これを確実に知ることはできないが、トラウマを報告した本人が、それが現実の体験でないことを自覚していることはあり得る。

家族が（事故や天災などで）死亡した場面に居合わせることはできなかったが、そのときの様子が繰り返し脳裏に浮かぶというのはよくある話だ。強盗に襲われそうになり、被害はなかったものの、相手が凶悪犯だということをあとで知ってトラウマになったケースもある。

大学生を対象にアメリカで行なわれた調査では、トラウマ的な記憶があると申告した者（被害者もしくは目撃者）のうち15％が、その記憶が実際に起きたことを誇張していると認めた。だとしたら、無意識のうちに記憶を書き換えているケースはずっと多いにちがいない。[38]

誤解のないようにいっておくと、これは「トラウマは偽物だ」ということではない。「すべての記憶は偽物」なのだ。

近年の脳科学のもっとも大きな発見のひとつは、脳には記憶が「保存」されていないことだ。

脳はビデオカメラのように、起きたことを正確に記録し、いつでも再生できるようにしているわけではない。脳にハードディスクが埋め込まれているのではなく、なんらかの刺激を受けたとき、そのつど記憶が新たに想起され、再構成される。

記憶はある種の「流れ」であり、思い出すたびに書き換えられているのだ。

40　人類がトラウマから解放される日

ヒトにかぎらず、多くの生き物が記憶をもっている。なぜなら、それが生存と生殖にきわめて有利だから。

嗅覚のある生き物は、特定のにおいと食料の獲得や捕食者に襲われた体験を結びつけて記憶することで、記憶をもたないライバルより多くの子孫をつくることができただろう。こうして記憶は進化してきた。

この進化論的な観点からは、強いストレスによって記憶が「抑圧（なにが起きたのかまったく覚えていない）」されたり、「解離（体験が断片化されていたり、他人事のように感じる）」する理由を説明することは難しい。生命の危機に直結する体験を覚えていなければ、次に同じ事態に遭遇したときに的確に対処できないだろう。こうした〝バグ〟は、自然淘汰で消失していくはずなのだ。

近年の研究によれば、衝撃的な出来事の記憶は時間を経ても一貫性があり、特徴の大部分がほとんど変わらない。心によい影響を与えた経験に比べ、悪影響のあった経験の記憶は時間を経ても著しく安定していることもわかった。これは「トラウマ優位効果」と呼ばれるが、記憶の進化論的な役割と整合的だ。

記憶の「抑圧」や「解離」が実際に起きるのかを知るには、強いストレス体験をしたひとたちを調べてみればいい。第二次世界大戦のホロコーストの生存者は、強制収容所の体験の過酷さでも、その後の徹底した記録でも、あらゆるケーススタディのなかで群を抜いているだろう。

記憶についての精神分析学的な主張が正しいのなら、ホロコースト生存者のなかに、広範に記憶の抑圧や解離が観察されるはずだ。

だがヴィクトール・フランクル（『夜と霧』）を引くまでもなく、ホロコーストのサバイバーは生涯にわたって鮮明な記憶に苦しむことになった。こうした苦悩は思春期以降の子どもにも共通して見られたが、強制収容所の〝ストレス体験〟では抑圧や解離には不足だとでもいうのだろうか。

１９８０年代にトラウマの概念が精神医療の世界で認知されるようになると、ホロコーストの生存者に対し、トラウマを発見し、治療しようとする「善意」の努力が始まった。だがサバイバーのなかには、それを〝異常〟のレッテルを貼るものだと感じ、強く反発した者も多かった。トラウマ理論は、「心的外傷を負ったのだから〝正常〟であるはずがない」と決めつけてしまうのだ。[39]

トラウマ的な体験をしたときは、その体験を言葉で表現したり、同じ出来事に遭遇したひとたちと体験を共有することが〝癒し〟になると主張する精神療法家もいる。記憶の抑圧や解離がPTSDの原因なのだから、それを意識化・言語化して一貫した説明を与える必要があるのだという。

だがこの「精神的な応急処置」は近年、脳科学者から「破滅的な心理的影響を与えかねない」と批判されている。

潜在的なトラウマ体験をしたとしても、その対処法は個人のパーソナリティによって異なる。明晰な記憶に苛まれるひとがいる一方で、はっきり覚えていないか、その記憶を負担に感じないひともいるだろう。

だが精神療法家は、あいまいな記憶しかない患者にも「言語化されたトラウマ体験」を植えつけようとする。すなわち、人工的に〝心的外傷〟をつくりだしているのだ。

それに加えて、記憶は他者の体験と簡単に融合する。事故・犯罪の被害者や災害の被災者を少人数のグループにしてそれぞれの体験を語らせると、他者のより印象の強い（残酷で悲惨な）経験が自分の記憶に取り込まれて、それがトラウマ体験になってしまうことがある。

記憶のあり方は一人ひとり異なっているので、ある体験が一律に同じ心理的影響を与えるわけではない。深刻な精神的影響に苦しむとき、事実かどうかにかかわらず、その記憶を「トラウマ」と呼ぶのだ。

脳には1280億のニューロンがあり、それぞれのニューロンは、他の数千のニューロンと情報をやり取りし、総体では500兆以上のニューロン同士の結合を形成している。

脳というのは「ニューロンの活動から生じる複雑系の動的ネットワーク」で、それ以上でもそれ以下でもない。記憶を保存しておくハードディスクやメモリはどこにもないのだ。

では、記憶とはなんだろうか。それは原理的には、ニューロン間の「つながりやすさ」と「つながりにくさ」の組み合わせでしかない。脳がなんらかの刺激を受けたとき、つながりやすいニューロンが発火し、つながりにくいニューロンは沈黙する。脳にはこれ以外の機能はないのだから、こうしてつくられるネットワークのある状態が、特定の記憶を意識させると考えるほかはない。

ニューロンの結合を強くするのには、「カルパイン（カルシウム依存性プロテアーゼ）」が関わっている。ニューロンの結合が、「公園」と「木」のような連想を繰り返し強く活性化させると、その場所でカルパインがつくられ、記憶細胞の間の結合をより強くする。

ある音を聞かせると同時に電気ショックを与えたラットは、その音を聞いただけでフリーズするようになる（学習による条件付け）。ところがこのラットの扁桃体に記憶結合物質の生成を抑制する薬物を注入すると、ラットは同じ音を聞いても恐怖心を見せなくなった。すなわち、記憶を形成できなかった。

だが、より興味深いのは次の実験だ。

音と電気ショックの結びつきをつくったラットに、1週間後と14週間後にふたたび同じ音を聞かせたところ、電気ショックを与えなくてもフリーズした（条件付けが長期記憶として定着した）。ところがその後、記憶の結合を妨害する化合物を注入したところ、まるで記憶が消失したかのように、その音に対する反応が止まったのだ。

不思議なのはこの効果が、音を聞かせると同時にカルパイン様物質の生成を妨害したときにしか見られなかったことだ。それ以外のときに薬物を投与しても、ラットの記憶にはなんの影響も与えなかった。[40]

だがこれは、脳には記憶が保存されていないとすれば当然のことだ。記憶は特定の刺激によってその都度、脳のネットワーク内で再構成される。それ以外のときに存在するのはニューロンの痕跡だけだ。だからこそ、記憶が生成される瞬間に、それを生理学的に阻害すると、ふたたびその記憶をつくりだすことができなくなってしまうのだろう。

こうした効果は人間でも確認されている。ロヒプノール（薬物名フルニトラゼパム）の効果は「新しい記憶を形成する能力を遮断する」ことで、手術前に投与すると、手術中はもちろん、手術直後の医師・看護師や家族との会話も思い出せなくなる。

脳科学の最先端では、脳内に電極を挿入したり、脳の特定部位にレーザー光線や超音波を当てて記憶に影響を与えたりする研究が進められている。将来的には、これによって記憶を自由に書き換えることができるようになるかもしれない。

そうなれば、もはやトラウマに苦しむこともなくなるだろう。だがそのとき、「わたし」とはいったい何者になるのだろうか。

付論1　PTSDをめぐる短い歴史

わたしたちは「心の病」を当たり前のものとして語っているが、ヨーロッパに「狂気」という概念が生まれたのは啓蒙主義時代の17世紀で、ミシェル・フーコーが『狂気の歴史』で述べたように、フランスで「障がい者」を病院に監禁するようになったのは1656年だ。

デカルトによって身体と心が分離されたことで、「早発性痴呆」と呼ばれていた統合失調症（精神分裂病）などの研究が始まったものの、当時は原因も治療法もわからず、患者は劣悪な環境で拘束・監禁されているだけだった。フロイトの精神分析学は、こうした状況に風穴を開け、心の病を（まがりなりにも）科学の枠組みで語ることができるようにしたことで、大きな影響力をもつことになった。

だが、精神医学を大きく進歩させたのは戦争だった。南北戦争（1861～65）、米西戦争（1898）、ボーア戦争（1899～1902）、日露戦争（1904～05）ですでに精神医学的負傷に関する多くの症例が記録されていたが、決定的なのは第一次世界大戦で、「シェルショック」が大きな関心を集めた。

シェル（shell）は「砲弾」のことで、実際に負傷しなくても、激しい爆発の近くにいることで「神経の不安定性」が引き起こされるとされた。症状の多くは麻痺や関節の動きが制限される筋拘縮（きんこうしゅく）、身体の歪みで、一時的に耳が聞こえなくなる、目が見えなくなる、嗅覚や味覚を失うなどのほか、疲労、不眠症、めまいなども見られた。

当時の医学論文では、シェルショックは、今日ＰＴＳＤの典型的な症状であるとされるフラッシュバック（トラウマを引き起こした経験を突然かつ鮮明に再体験すること）や過覚醒をともなわない。さらに、シェルショックの諸症状は戦闘中に発現し、戦争に参加してから数カ月、あるいは数年後に現われるわけではなかった。

奇妙なのは、シェルショックの典型的な症状を示す患者の多くが、前線やその近辺にいなかったことだ。米軍の医師は、「戦闘にまったく参加していない数百人の兵士が、砲火によって神経障害をきたした兵士のものとほぼ同じ症状を呈していた」と書いている。その結果、詐病を疑われ、「臆病以外のなにものでもない」と処分されたケースも多かった。

第二次世界大戦では、シェルショックに特徴的だった無言症や歩行能力の喪失、姿勢のよじれなどはまれになり、その代わり頭痛、めまい、疲労、集中力の欠如などによって特徴づけられた「脳震とう後症候群」にとって代わられた。ここでも、ストレスに起因する諸症状は、戦闘中もしくは戦闘直後に明白に見られ、前線の臨床医療によって治療されていた。さらに、アメリカ軍における「神経衰弱」の症例のほぼ3分の2は、前線に展開された兵士ではなく、米国内にいる訓練中の兵士で占められていた。

第一次、第二次の両大戦に比べてベトナム戦争では、戦闘中のストレス反応はむしろまれで、アメリカがベトナムから撤退したあとで、帰還兵の戦争関連のトラウマの有病率が上昇した。ここから、「心的外傷後ストレス障害」という用語が生まれた。フラッシュバックはさらに新しく、湾岸戦争（1990～91）まではめったに言及されることがなかった。

ベトナム戦争で戦闘中のストレス反応があまり見られなかったのは、映画（『プラトーン』など）で描かれたのとは異なって、両大戦に比べて戦争の「強度」が低かったからだとされる。多くの兵士は激しい戦闘に巻き込まれることなく軍務を終えることができたが、その間、ずっと強い不安と緊張にさらされていた。

1966年に徴募された9万2000人の海軍兵士を対象に行なわれた大規模な経年研究では、「ベトナム戦争中も戦後も、ストレス関連の障害で入院した兵士の割合は、非戦闘員であった帰還兵がもっとも高かった」「PTSDの症状を報告した兵士の多くは、戦闘地帯から遠く離れた場所にいた支援要員だった」ことが明らかになった。ここでも、実際に心的外傷を体験をしていない兵士のほうが、より多くの心的外傷後の精神症状に苦しめられていたのだ。

軍事精神医学の大量の研究からわかるのは、「トラウマ体験が精神症状を引き起こす」という単純な因果関係が成り立たないことだ。

1970年代になると、戦争報道やサブカルチャー（『タクシードライバー』『ディア・ハンター』『地獄の黙示録』）によって、ベトナムからの帰還兵は「加害者」と「被害者」の両極に引き裂かれた。こうした状況のなかで、膨大な数のPTSDの訴えがなされるようになる。1988年に行なわれた研究では、男性のベトナム帰還兵47万9000人のうち、30・9％がいずれかの時点でPTSDを発症し、それ以外の22・5％が「部分的PTSD」を発症していた（女性の帰還兵のサンプルは160人と少ないが、PTSDの発症率は男性の帰還兵とほぼ同じだった）。追跡調査による分析では、部分的PTSDと診断されたベトナム帰還兵の78％が20年から25年が経過してもＰＴＳＤの症状に苦しんでいた。

こうした状況を受けてＡＰＡ（アメリカ心理学会）は、軍事精神医学で「ベトナム症候群」「ベトナム後障害」と呼ばれていた病名を、現役兵士や帰還兵だけでなく、性的暴行の犠牲者など、激しいストレスを受けてきたあらゆるひとに適応できるようＰＴＳＤ（心的外傷後ストレス障害）と命名し直し、「心理的なトラウマをともなう、人間の通常の経験範囲を超えるできごと」によって引き起こされる精神疾患と定義した。

こうした歴史をまとめたうえで、文化人類学者のロイ・リチャード・グリンカーは、ＰＴＳＤが個人の経歴の差異や文化的差異を覆い隠す「万能の診断」になっていると指摘している。さまざまな精神的不調をＰＴＳＤにまとめることは、医者にとっても患者にとってもメリットが大きい。言い換えるなら、「医師と患者が共同で、特定の症状やその説明を形作っている」のだ。

第一次大戦、第二次大戦からベトナム戦争、湾岸戦争へと、戦争のたびに兵士や帰還兵の症状がさまざまに変わっていることは、ＰＴＳＤが文脈に依存する精神疾患であることを示している。脳がトラウマ的な記憶（ネガティブな強い痕跡）をもつことは確かだが、それがどのような心理的・身体的影響として顕在化するかは、時代や社会が決めているのだ。

社会的・文化的に構築された精神疾患であるＰＴＳＤがまたたく間に世界中に広まったのは、「犠牲者に責任を負わせないようなあり方で特定の種類の苦痛を理解する」ことを可能にしたからだ。その結果、ＰＴＳＤは「精神的な問題を抱える人々が実際に診断されることを望む数少ない診断の一つ」になった。

それに加えて、ＰＴＳＤの診断はメンタルヘルス業界に巨大な収益機会をもたらした。こうして欧米など先進国で「トラウマ産業」が隆盛をきわめることになる。

だがグリンカーは、ＰＴＳＤの診断を適応しうること自体が、ある種の「特権」だという。

トラウマがＰＴＳＤを引き起こすのは、その体験が先進国の基準で「異常なもの」だからだ。だからこそ心は、「異常」な反応を示すことになる。

「しかし、恒常的な家庭内暴力、栄養不足、予期せぬ暴力などによるトラウマが日常的に生じているような人々にとってはどうか？」とグリンカーは問う。「差別を受け続けてきた人々にとってはどうだろうか？　それらのケースでは、少数の際立ったトラウマ体験について語るのはむしろ不合理である」

欧米だけでなく日本でも、トラウマは映画、小説、アニメなどのサブカルチャーで頻繁に描かれ、ＰＴＳＤはいまやごくありふれた病気になった。

専門家のなかには、「ＰＴＳＤやその他の疾患に関する用語が、苦痛や不幸を正当化する権利を主張するための手段と化している」ことを懸念する声もある。だがいったんこの概念が広まってしまうと、どれが真正のＰＴＳＤでどれがそうでないかを決めることは不可能だろう。

このようにしてＰＴＳＤは、「病者の大国」の市民権となった。いまでは誰もがトラウマを抱えた「被害者」なのだ。[41]

付論2　トラウマは原因なのか、それとも結果なのか？

1980年代から90年代にかけて、アメリカやイギリスで「記憶戦争」が勃発した。平凡な家庭の父親や母親が、ある日突然、成人した子どもから性犯罪や殺人罪で告発されたのだ。そのなかには、悪魔崇拝の儀式で赤ん坊を生贄に捧げ、幼い子どもを集団で強姦したというような荒唐無稽なものもあった。

その後、記憶研究の第一人者であるエリザベス・ロフタスなどの尽力によって、それが記憶回復療法のセラピストによって植えつけられた「虚偽記憶」であることが明らかにされ、現在ではようやくこの悲惨な事態も収まりつつある。いまでは、幼児期の性暴力の記憶が「抑圧」されていると考える脳科学や認知科学の専門家は（ほとんど）いないだろう。

米ソの宇宙開発競争が激しくなった1960年代から、アメリカでは「宇宙人（エイリアン）に誘拐（アブダクション）された」と訴えるひとたちが現われた。「アブダクティー（誘拐された者）」と呼ばれる彼ら／彼女たちは、強いトラウマを抱え、明らかにPTSDに苦しんでいた。だが宇宙人による誘拐は事実ではないのだから、「虚偽記憶」によってもPTSDが発症することがわかる。

「抑圧された記憶」を思い出した「（幼児期の性暴力の）サバイバー」と、エイリアンによるアブダクションの記憶を思い出した「アブダクティー」は、とてもよく似ている。これが、記憶を回復したサバイバーが、「虚偽記憶」の説明にはげしく反発する理由だろう。心を引き裂くような性暴力の記憶を、「宇宙人に誘拐されたのと同じ」といわれたのだから。

回復した記憶を主張する「サバイバー」の存在は、現実の性暴力で深刻なトラウマに苦しんでいるサバイバーを冒瀆することにもなる。虚偽記憶による冤罪の悲劇を聞かされたひとたちは、すべての性暴力の主張を疑いの目で見るようになるだろう。冷静な読者なら、ここまではじゅうぶん理解できるだろうが、これは話の半分でしかない。

近年の記憶研究は、「抑圧された記憶」がきわめて疑わしいことを明らかにしただけではない。あなたが「事実」だと確信している記憶もまた、疑わしいのだ。

自宅に侵入した黒人の男にレイプされた女性が、「襲ったのはあの男に間違いない」

と警察に訴えた。男は被害者の家の向かいに住んでおり、事件当時のアリバイはなく、ビールを飲んで通りを歩いているところを目撃されていた。

警察は被害者の証言に基づいて男を逮捕した。男は犯行を否認したが、裁判によって45年の懲役刑が科せられた。１９８０年代にアメリカのワシントンＤＣで起きた事件だ。

だが7年後、家族に依頼されたＤＮＡ鑑定の専門家が、検察に保存されていた下着から採取した犯人の精液のＤＮＡを調べたところ、男のものとはまったく一致しなかった。検察は州の科学捜査研究所とＦＢＩにも鑑定を依頼したが、やはり犯人とは異なっていたため、男はようやく釈放された。

この冤罪事件では、被害者は自宅の窓から車を洗っている男の姿を見た瞬間、犯人だと確信している。そして、この記憶になんの疑いも抱いていなかった。

その後の検証で、「虚偽記憶」がどのようにつくられたのかがわかってきた。事件を担当した刑事は、容疑者としてリストアップした7人の黒人男性の写真を被害者に見せていた。このなかには男の写真も含まれていたのだが、被害者はそのときはなにも感じなかった。

ところが、通りの向こう側で洗車している男が目に入ったとき、「どこかで見たことがある」と直感的に思った。それは「写真で見たことがある」だけだったのだが、そこまで正確に覚えていたわけではなかったため、レイプされたときに男を見たのだと思い込んでしまったのだ。[42]

このようなとき、記憶はすみやかに再構成され、書き換えられる。それまでぼんやりしていたレイプ犯の顔は、たちまち男の顔で上書きされてしまった。そしてこのことを、本人はまったく意識することができない。

これがどれほどやっかいな事態かは、すこし考えればわかるだろう。DNAのような客観的な証拠がなく、被害者や目撃者の証言のみに頼った判決は、すべて冤罪の可能性があるのだ。

アメリカでは1992年、2人の法学者によって、無罪を訴えて収監されている囚人にDNA鑑定を行なう「イノセンス・プロジェクト」が立ち上げられた。これによって2022年までに、重大な犯罪で有罪判決を受けた375人が無罪であることが明らかになり、そのなかには21人の死刑囚が含まれていた。冤罪の被害者の多くは、黒人などのマイノリティだった。

性犯罪は密室で行なわれることが多く、被害者の証言以外に証拠がないことも多い。

だがその証言（主観的な記憶）は、なんらかの要因で〝汚染〟されている可能性がある。これはとりわけ、子どもに対する性犯罪を立件するときに大きな問題になるだろう。「どのような性犯罪も見逃してはならない」とするならば、すべての証言を「事実」として扱うべきだ。それに対して「冤罪は一件たりとも起こしてはならない」とするならば、被害者や目撃者の記憶を犯行の証拠とすることは許されない。このようにして、2つの「正義」が真っ向から衝突してしまうのだ。

これについては、「症状」と「事実」を分けるという折衷案がある。それが仮に「虚偽記憶」であったとしても、サバイバーがトラウマによって苦しんでいることは間違いない。「その記憶は本物ではない」と第三者が否定しても、この苦しみが癒されることはないのだから、「トラウマで苦しんでいること」を事実として受け入れ、どうすれば回復できるかを考えるべきだというのだ。しかし、このように記憶の曖昧さをいったん認めてしまえば、「加害者」の責任追及をあきらめざるを得ないのではないだろうか。

アメリカの心理学者で、親など身近な親族から虐待を受けた子どもは、生きていくのに必要なケアを受けるために自分が虐待されていることに気づかないという「裏切られたトラウマ」理論で知られるジェニファー・フレイドは、虚偽記憶の問題を認めつつもこう述べている。

誤った告発の可能性に対してあまりに注目しすぎると、偏ったいい方かもしれませんが、告発によって虐待に歯止めをかけられるのだという立場からの発言が白い目で見られてしまうのではないか。そして、私たちの社会において本当に重要な大きな問題から、国民の関心をそらしているのではないか。

これは説得力のある主張に思えるが、困惑するのは、この著名な認知心理学者の両親が、子ども時代の性的虐待を理由に誤った告発を受けたひとたちを支援するための「偽りの記憶症候群財団（FMSF：False Memory Syndrome Foundation）」の創設者であることだ。

フレイドは33歳で心理療法家の面談を受けたあと、「3歳のときに父親からの性的虐待が始まり、14歳からは性的な関係を強要され、大学に入学する数日前の16歳のときにレイプされた」記憶を回復した。フレイドの母親は教育心理学者で、いまは「偽りの記憶症候群財団」の本部で夫とともに働いている。フレイド家は、「米国でもっとも影響力のある機能不全家族」と呼ばれている。[43]

トラウマの記憶をめぐる論争は、「トラウマ（性被害の記憶）が現在の精神的な不調の原因なのか」、それとも「現在の精神的な不調（生きづらさ）がトラウマをつくり出したのか」という、さらにやっかいな問題を提起する。ここまでくると、もはや誰もが納得する答えを出すことは不可能だ。

だが急速に進歩する脳科学は、いまや特定の記憶をピンポイントで消去するテクノロジーを開発しつつある。そうなれば、この論争は最終的に決着するだろう。

トラウマ理論が正しいとするならば、トラウマの記憶がなくなったとき、すべての苦しみが魔法のように消えてなくなるはずだ。だが記憶が消えてもなお、うつや神経症などの症状が残っていたとしたらどうなるだろうか。

あとがき　「バカと無知の壁」を乗り越えて

ＳＮＳには陰謀論が渦巻いている。そのなかには、世界は「闇の政府（ディープステイト）」に支配されているとか、新型コロナのワクチンを接種するとマイクロチップを埋め込まれるというような荒唐無稽なものもある。

ひとびとが誤解しているのは、これをなにか異常な事態だと思っていることだ。そうではなくて、ヒトの本性（脳の設計）を考えれば、世界を陰謀論（進化的合理性）で解釈するのが当たり前で、それにもかかわらず理性や科学（論理的合理性）によって社会が運営されている方が驚くべきことなのだ。

なぜ脳が陰謀論的に考えるかというと、現実が陰謀で満ち溢れているからだ。数十万年前に人類の祖先が高い知能をもつようになってから、誰もが濃密な共同体のなかで、他者に対して陰謀を仕掛けると同時に、他者の陰謀に脅かされてきた。人間にとっての最大の脅威は、むかしもいまも、天変地異や捕食動物ではなく、自分と同じように高い知能をもつ生き物に囲まれていることなのだ。

ヒトは徹底的に社会化された動物なので、共同体を離れて一人で生きていくことはできない。このようにして、弱者に共感して支援する、仲間のために自分を犠牲にする、あるいは共同体の誇りをかけて戦うというような向社会性を進化させてきた。

だがその一方で、共同体のたんなる使い捨ての部品では、性愛競争に勝ち残ってパートナーを得、子孫（利己的な遺伝子）を後世に残すことができない。生存のためには他者と協働しなければならないが、生殖のためには他者を押しのけなければならない。これが、数十万年前から人類が直面してきた究極の矛盾（トレードオフ）だ。

その結果わたしたちは、徒党を組んで敵と対抗する一方で、表向きは協力するふりをしながら裏では足を引っ張って、仲間を陥れて自分のステイタスを上げるという複雑な戦略を駆使するようになった。ヒトの脳は哺乳類のなかでも異常に発達しているが、これは相手をだまそうとしつつ、相手にだまされまいとする「進化の軍拡競争」の結果だと考えられている（社会脳仮説）。

誰に陰謀を仕掛けられるかわからない社会では、脳は陰謀に適応するように進化したにちがいない。このようにしてヒトは、あらゆることを陰謀論で解釈するようになった。

現代社会が「異常」だとしたら、それはSNSなどのテクノロジーによって、陰謀論が瞬く間に増幅されて世界中に拡散するようになったことだろう。

陰謀論的な世界では、ひとびとはみな陰謀に脅えており、だからこそ陰謀はもっとも不道徳な行為になるはずだ。狩猟採集社会では、他者に陰謀を企んでいることが暴露されると、それは黒魔術と見なされ、ただちに社会的な死（ときには現実の死）を招いた。だとすれば、陰謀論を唱えるひとは、それが万人のための道徳的に正しい行為であることをなんとしてでも示さなくてはならない。「反ワクチン」派が典型だが、批判されればされるほど〝正義〟を振りかざすようになるのはこれが理由だろう。

進化心理学では、知能の目的は自己正当化だとされる。わたしたちは（無意識のうちに）自分の主張＝物語を一貫させようとしている。こうして賢いひとほど陰謀論にはまると取り返しがつかなくなるのだが、これはたんなる知識の欠如ではない。道徳的に誤っていることは、共同体のなかでのステイタスを大きく傷つけ、自分の物語（アイデンティティ）を崩壊させるのだ。

ひとはステイタス＝自尊心を守るためなら死に物狂いになるから、いくらでも自分を正当化する理屈を思いつく。これが「見たいものだけを見て、聞きたいことだけを聞く」ことで、ジュリアス・シーザーの時代から人間のこうした本性は知られていた。

いったん「世界はこうあるべきだ」という強い信念をもつと、それに合わせて現実が歪曲していく。これは一部の陰謀論者だけでなく、SNSを見ていれば、右や左の〝識者〟にもよくある特徴だとわかるだろう。共通するのは、自分（たち）を善として、なんらかの悪を告発する善悪二元論だ。

自分が「絶対的な善」ならば、自分を批判する者は「絶対的な悪」以外にない。このようにして、SNSで徒党を組み、敵対する集団に罵詈雑言を浴びせる無間地獄に陥っていく。――これは「アイデンティティ政治」と呼ばれる。

当然のことながら、ふつうのひとたちはこんなことにはかかわろうとしない。人生に投入できる資源は有限で、その大半は仕事や家族・恋人との関係に使われるからだ。ネットニュースに頻繁にコメントするのは昼間からワイドショーを見ているひとたちだが、それは平均とはかなり異質な母集団だ。

まともなひとは、なんの「生産性」もないSNSの論争（罵詈雑言の応酬）から真っ先に退場していくだろう。このようにして、まともでないひとたちだけが残っていく。

そう考えれば、いま起きていることがうまく説明できるだろう。解決にはならないだろうが。

人間というのはものすごくやっかいな存在だが、それでも希望がないわけではない。一人でも多くのひとが、本書で述べたような「人間の本性＝バカと無知の壁」に気づき、自らの言動に多少の注意を払うようになれば、もうすこし生きやすい社会になるのではないだろうか。自戒の念をこめて記しておきたい。

本書は２０２１年8月から22年6月にかけて『週刊新潮』に連載した「人間、この不都合な生きもの」に若干の加筆・修正のうえ、付論2編を加えた。

２０２２年9月　橘　玲

【参考文献】

1. Justin Kruger and David Dunning (2000) Unskilled and Unaware of It: How Difficulties in Recognizing One's Own Incompetence Lead to Inflated Self-Assessments, *Journal of Personality and Social Psychology*
2. David Dunning (2011) The Dunning-Kruger Effect: On Being Ignorant of One's Own Ignorance, *Advances in Experimental Social Psychology*
3. Bahador Bahrami et al. (2010) Optimally Interacting Minds, *Science*
4. Bahador Bahrami et al. (2012) What Failure in Collective Decision-Making Tells Us About Metacognition, *Philosophical Transactions of The Royal Society B Biological Sciences*
5. Kipling D. Williams and Blair Jarvis (2006) Cyberball: A Program for Use in Research on Interpersonal Ostracism and Acceptance, *Behavior Research Methods*
6. 国立教育政策研究所編『成人スキルの国際比較　ＯＥＣＤ国際成人力調査（ＰＩＡＡＣ）報告書』明石書店
7. Mark A. Kutner et al. (2007) Literacy in Everyday Life: Results From the 2003 National Assessment of Adult Literacy, *National Center for Education Statistics*
8. イリヤ・ソミン『民主主義と政治的無知　小さな政府の方が賢い理由』森村進訳、信山社
9. ジェームズ・J・ヘックマン『幼児教育の経済学』古草秀子訳、東洋経済新報社
10. ローン・フランク『闇の脳科学　「完全な人間」をつくる』赤根洋子訳、文藝春秋

11・13 フランシス・アブード『子どもと偏見』栗原孝他訳、ハーベスト社
12 ポール・ブルーム『ジャスト・ベイビー 赤ちゃんが教えてくれる善悪の起源』竹田円訳、NTT出版
14・18 Roy F. Baumeister et al.（2003）Does High Self-Esteem Cause Better Performance, Interpersonal Success, Happiness, or Healthier Lifestyles?, *Psychological Science in the Public Interest*
15 Ed Diener, Brian Wolsic and Frank Fujita（1995）Physical Attractiveness and Subjective Well-Being, *Journal of Personality and Social Psychology*
16 Kathleen D. Vohs and Todd F. Heatherton（2002）Self-Esteem and Threats to Self: Implications for Self-Construals and Interpersonal Perceptions, *Journal of Personality and Social Psychology*
17 Susumu Yamaguchi, Anthony G. Greenwald et al.（2007）Apparent Universality of Positive Implicit Self-Esteem, *Psychological Science*
19 Niall Bolger and David Amarel（2007）Effects of Social Support Visibility on Adjustment to Stress: Experimental Evidence, *Journal of Personality and Social Psychology*
20・21 M・R・バナージ、A・G・グリーンワルド『心の中のブラインド・スポット 善良な人々に潜む非意識のバイアス』北村英哉、小林知博訳、北王路書房
22 マーク・W・モフェット『人はなぜ憎しみあうのか 「群れ」の生物学』小野木明恵訳、早川書房
23・24 Lee Jussim（2012）*Social Perception and Social Reality: Why Accuracy Dominates Bias and Self-Fulfilling Prophecy*, Oxford University Press

25. Emma E. Altgelt, et al.（2018）Who is Sexually Faithful? Own and Partner Personality Traits as Predictors of Infidelity, *Journal of Social and Personal Relationships*

26. デイヴィッド・デステノ『信頼はなぜ裏切られるのか　無意識の科学が明かす真実』寺町朋子訳、白揚社

27. Kathleen Corriveau and Paul L. Harris（2009）Choosing Your Informant: Weighing Familiarity and Recent Accuracy, *Developmental Science*

28. スタンレー ミルグラム『服従の心理』山形浩生訳、河出文庫

29. Benoit Monin and Dale T. Miller（2001）Moral Credentials and the Expression of Prejudice, *Journal of Personality and Social Psychology*

30. C.Neil Macrae et al.（1994）Out of Mind but Back in Sight: Stereotypes on the Rebound, *Journal of Personality and Social Psychology*

31. Razib Khan"Yo mama's mama's mama... etc. : our understanding of human origins in 2021" https://razib.substack.com

32. Carsten K. W. De Dreu et al.（2011）Oxytocin Promotes Human Ethnocentrism"PNAS

33. 矢幡洋『危ない精神分析　マインドハッカーたちの詐術』亜紀書房

34. E・F・ロフタス、K・ケッチャム『抑圧された記憶の神話　偽りの性的虐待の記憶をめぐって』仲真紀子訳、誠信書房

35. ダニエル・Z・リーバーマン、マイケル・E・ロング『もっと！　愛と創造、支配と進歩をもたら

すドーパミンの最新脳科学』梅田智世訳、インターシフト
36. カート・アンダーセン『ファンタジーランド　狂気と幻想のアメリカ５００年史』山田美明、山田文訳、東洋経済新報社
37. ランドルフ・M・ネシー『なぜ心はこんなに脆いのか　不安や抑うつの進化心理学』加藤智子訳、草思社
38. Harald Merckelbach et al. (1998) Traumatic Intrusions as 'Worse Case Scenario's', *Behaviour Research and Therapy*
39. レベッカ・クリフォード『ホロコースト最年少生存者たち　１００人の物語からたどるその後の生活』芝健介監修、山田美明訳、柏書房
40. ジュリア・ショウ『脳はなぜ都合よく記憶するのか　記憶科学が教える脳と人間の不思議』服部由美訳、講談社
41. ロイ・リチャード・グリンカー『誰も正常ではない　スティグマは作られ、作り変えられる』高橋洋訳、みすず書房
42. 越智啓太『つくられる偽りの記憶　あなたの思い出は本物か?』化学同人
43. カール・サバー『子どもの頃の思い出は本物か　記憶に裏切られるとき』越智啓太、雨宮有里、丹藤克也訳、化学同人

本書は『週刊新潮』の連載「人間、この不都合な生きもの」（2021年8月〜22年6月）を加筆・修正したうえ、付論2編を加えたものである。

橘 玲　1959年生まれ。小説『マネーロンダリング』でデビュー。『言ってはいけない 残酷すぎる真実』で2017新書大賞を受賞。著書に『スピリチュアルズ「わたし」の謎』『無理ゲー社会』など。

Ⓢ新潮新書

968

バカと無知（むち）
人間（にんげん）、この不都合（ふつごう）な生（い）きもの

著者　橘（たちばな） 玲（あきら）

2022年10月20日　発行
2024年10月20日　10刷

発行者　佐藤隆信

発行所　株式会社 新潮社
〒162-8711　東京都新宿区矢来町71番地
編集部(03)3266-5430　読者係(03)3266-5111
https://www.shinchosha.co.jp
装幀　新潮社装幀室

印刷所　錦明印刷株式会社

製本所　錦明印刷株式会社

ISBN978-4-10-610968-3　C0230

価格はカバーに表示してあります。